PALABRAS
ENVENENADAS

**PREMIO EDEBÉ
DE LITERATURA
JUVENIL**

MAITE CARRANZA

PALABRAS ENVENENADAS

**PREMIO EDEBÉ
DE LITERATURA
JUVENIL**

edebé

Obra ganadora del Premio EDEBÉ de Literatura Juvenil según el fallo del Jurado compuesto por: Sr. Xavier Brines, Sra. Victoria Fernández, Sra. Anna Gasol, Sra. Rosa Navarro Durán y Sr. Robert Saladrigas.

© Maite Carranza, 2010
www.maitecarranza.com

© Ed. Cast.: Edebé, 2010
Paseo de San Juan Bosco, 62
08017 Barcelona
www.edebe.com

Atención al cliente: 902 44 44 41
contacta@edebe.net

Directora de Publicaciones: Reina Duarte
Diseño de la colección: Book & Look
Fotografía de cubierta: Jupiter Images Corp.

9.ª edición

ISBN: 978-84-236-9650-5
Depósito legal: B. 32143-2011
Impreso en España
Printed in Spain
EGS - Rosario, 2 - Barcelona

A las mujeres que sufren.

Índice

PRIMERA PARTE

La chica que veía *Friends*

El día de mi decimonoveno cumpleaños fue como cualquier otro.

Sabía, claro que lo sabía, que era un año mayor, pero me daba lo mismo porque el balance de los trescientos sesenta y cinco días que tenía que celebrar era exactamente igual a los trescientos sesenta y cinco días correspondientes al año anterior. O sea, prescindible. A pesar de todo, intenté buscar la parte positiva y llegué a la conclusión de que valía la pena cumplir años porque, como mínimo, recibiría un regalo. Prescindí, sin embargo, de las velitas que comportan nostalgia, recuerdos y el compromiso con uno mismo de ser feliz. Una estupidez. No quise dar ninguna trascendencia especial a la fecha porque mi vida no era para lanzar cohetes. Me refugié en la rutina habitual de levantarme, hacer mis ejercicios de gimnasia, ducharme, desayunar, estudiar, comer, mirar un rato la tele y esperar la visita sorpresa con una sonrisa. No me fue difícil, me conformo con muy poco.

Una semana antes me había preguntado si tenía algún capricho, algún deseo especial. Sé que estaba dispuesto a comprarme cualquier tontería, un vestido,

11

unos zapatos, un iPod. Pero yo no quería nada que se pudiera pagar con dinero y le pedí que me llevase a la playa. Mi sueño era lanzarme al mar desde una roca, zambullirme con los ojos bien abiertos, nadar crol hasta quedarme sin aliento y yacer flotando sobre las crestas de espuma, mecida por las olas. Quería sentirme ligera, escabullirme como un pez y perderme en el horizonte hasta que mi cuerpo blanco fuera tan sólo un punto lejano que salpicase la monotonía del azul.

Me dijo que a lo mejor algún día, y me regaló la novena temporada de *Friends*.

Admito que me hizo ilusión.

12

1. Salvador Lozano

El subinspector Lozano está ante la puerta del piso de los señores Molina recuperando el aliento. Se ha puesto la americana gris, la que estrenó en la boda de su hijo siete años atrás, y la corbata de seda con irisaciones rojizas. Se siente algo incómodo y en el último momento se le ocurre que tal vez la corbata sea demasiado chillona. Siempre sufre por culpa del vestuario. Al levantar el brazo para llamar al timbre descubre que le sudan las manos. No le gusta visitar gratuitamente a nadie, pero debe hacerlo. Es una visita de cortesía. Si no tuviese ese gesto, lamentaría siempre haber dejado ese cajón abierto y lo pagaría con su insomnio. Se seca la palma de las manos con un pañuelo de papel que encuentra en el bolsillo del pantalón, respirando entrecortadamente. Le ha costado subir los tres pisos por culpa de los kilos o de los años, a saber, pero es un hombre resolutivo y por mucho apuro que le produzca la situación tiene que dar una explicación al matrimonio Molina. No pueden enterarse por boca de otros y el teléfono, al fin y al cabo, es un aparato frío. Así pues, se aclara la garganta como antes de un interrogatorio, y pulsa con firmeza el interruptor del timbre. Se siente responsable de su caso, se dice mientras espera que le abran, de la pesadilla que un día los sorprendió a traición y que les ha ido robando las ganas de vivir. Apenas les quedan. Son enfermos terminales que ya no cuentan los días. Y aun así, a veces, percibe en el fondo de su mirada una chispa de esperanza dispuesta a prender con cualquier pista. Esperan un milagro, un cuerpo.

No abre nadie, quizás no estén. Vuelve a intentarlo y esa vez deja que el timbre suene estridente durante un buen rato.

Sin embargo les ha fallado, va pensando mientras aguza el oído pendiente de cualquier ruido que provenga del otro lado. Todo está silencioso. No debe de haber nadie. Sólo les puede dejar, y enumera mentalmente, un bolso abandonado, un caso archivado sin cuerpo, un número de expediente olvidado y la fotografía de una chica sonriente que amarillea dentro de una carpeta repleta de papeles inútiles, atiborrados de declaraciones inútiles, perdidos entre pistas inútiles. Sin ningún indicio.

De pronto, alguien abre la puerta desconfiadamente, parapetada tras una cadenilla de seguridad. Desde dentro, desde la oscuridad de un recibidor inhóspito, una voz pregunta quién es. Es la voz de Nuria Solís.

Los Molina viven en un piso del Ensanche barcelonés decorado con discreción, sin ostentación ni disonancias, de colores claros y sobriedad oriental. Antes era confortable, pero poco a poco se ha ido convirtiendo en un espacio obsoleto. Las paredes con la pintura desportillada, el polvo cubriendo los mue-

14

bles, la persiana del comedor estropeada desde hace dos años sin que nadie la haya arreglado todavía. La cocina es fría, funcional, de ir tirando. Nunca huele a sofritos ni a caldos. A veces se le ocurre que visita la casa de unos muertos vivientes que murieron hace cuatro años y que se han mantenido artificialmente con vida. Los chicos son mudos, discretos y huidizos. Impropios para su edad. Los gemelos, larguiruchos y tímidos, han cumplido los quince años, los mismos que tenía Bárbara cuando desapareció, pero es como si no existiesen. Pasan inadvertidos, hablan por gestos y desvían la mirada cuando hay visitas. Han aprendido a no estorbar el dolor de sus padres. Han tenido una infancia rota.

Nuria Solís lo recibe con la pregunta de siempre. ¿La han encontrado? No hay nada más descorazonador que un no, pero ya no habrá más preguntas. He venido a despedirme. Nuria Solís tarda en reaccionar, como si no lo hubiera entendido. Tampoco lo invita a pasar. Ha sacado la cadenilla pero se ha quedado paralizada en la puerta, como si hubiera recibido un bofetón. ¿A despedirse?, repite sin creérselo. Salvador Lozano, con suavidad, cierra la puerta detrás de él y entra sin ser invitado a la sala. ¿Está su marido?

Nuria Solís tiene cuarenta y tres años y es enfermera. Cuando la conoció tenía treinta y nueve y era una mujer guapa. Ahora su cabello ha encanecido prematuramente, viste desaliñada y respira por obligación. No, no ha llegado todavía, está trabajando, le responde. Es lo normal, se dice Lozano, por las mañanas la gente acostumbra a trabajar, como él, que está cumpliendo con su

15

obligación, a pesar de que en su caso, lamentablemente, tal vez sea por última vez. Si le parece bien, entonces, se lo explico a usted. Y se sienta y le ofrece asiento a ella, como si estuviese en su propia casa y no al revés. Nuria Solís, obediente, se sienta y escucha, o finge que escucha. Hace tiempo que sólo escucha la respuesta a una única pregunta y una vez formulada desconecta y deja que las palabras resbalen y se pierdan. Mañana cumpliré sesenta y cinco años, he esperado hasta el último día, pero me jubilan, le suelta sin embudos. Cuanto antes mejor, así no hay malentendidos, piensa. Ella le mira con los ojos desencajados y el rostro inescrutable, de forma que Lozano no puede deducir si ha entendido su sencilla explicación. El subinspector corrobora que hubiera preferido hablar con Pepe Molina. ¿Eso quiere decir que no la buscarán mas?, pregunta Nuria lentamente. No, no, se apresura a rectificar Lozano. Ahora el caso pasará a manos de mi sustituto. Será él quien se haga cargo de la investigación y quien mantenga la comunicación con ustedes.

Nuria parece aliviada unos instantes, pero en seguida se altera. ¿Quién es? El subinspector Lozano trata de ser convincente, pero su propia voz le suena falsa. Es un joven entusiasta y muy bien preparado, el subinspector Sureda. Estoy seguro de que tendrá más suerte de la que he tenido yo. Hubiera deseado decir profesionalidad, pero no ha querido mentir. El futuro subinspector Sureda, treinta y un años acabados de cumplir y un futuro brillante, puede aportar entusiasmo, pero no profesionalidad.

Nuria, aturdida, calla. Tal vez esté meditando so-

16

bre esas dudas que él no ha expuesto. Es una mujer asustada. Junto a su marido ya ni se molesta en hablar, deja que sea él quien lleve la voz cantante. Él no se ha dejado abatir hasta ese punto. El hombre ha perdido el empuje de los primeros meses, el de la obsesión por encontrar a Bárbara que le llevó a interferir en las tareas policiales, pero ahora ya se ha serenado y se ha resignado a la pérdida. Tienen un talante bien diferente. Él sufre con dignidad mientras que ella adolece de falta de dignidad. Le recuerda a un polluelo mojado bajo la lluvia. Nuria Solís asiente y se abandona a sus pensamientos. Lejos, opaca, indiferente. Ya nada le importa. Ha dimitido de agradar. Le hubiera gustado conocerla antes de que perdiese a la hija y las ganas de vivir. La incertidumbre le ha sorbido el seso.

Nuria Solís no dice nada y se remueve inquieta en su silla. Es evidente que le falta algo. Tendría que hablar con mi marido, deja caer de golpe. Él tiene la cabeza en su sitio, admite. El subinspector Lozano también piensa lo mismo, pero reconoce que es una descortesía por su parte enmendarle la plana puesto que ella es una interlocutora tan válida como su marido. Sin embargo, Nuria ya se ha levantado, ha cogido el móvil de encima de la mesita y ha marcado un número.

¿Pepe?, exclama con voz implorante. Le cambia la expresión mientras le escucha. No, perdona, ya sé que estás trabajando, pero ha venido el subinspector Lozano. Calla temblorosa unos segundos y vuelve a hablar con voz vacilante, con la misma vacilación con la que se enfrenta al vacío inconcebible de una ausencia. No, no hay ninguna novedad sobre Bárbara, aclara. Pero

17

quería despedirse de ti, se jubila mañana. De acuerdo, concluye tras una larga explicación de él. Ha relajado las facciones porque probablemente él le haya dado una solución al problema que era incapaz de resolver sola. Y cuelga con una luz en la mirada, aliviada por haber podido desprenderse de una carga imprevista. Dice que pasará a verlo en persona. El subinspector Lozano sabe que lo hará, que es un hombre con iniciativa y con una agenda ordenada. Es representante de joyas. Sabe tratar a los clientes y organizar su tiempo. Y a pesar de viajar continuamente se las apaña para estar con la mujer y los hijos y velar por la familia. Hasta se ocupó del perro que tuvieron que sacar de casa porque les recordaba demasiado a Bárbara. Es un hombre energético, vital, que encabezaba las manifestaciones por la hija, siempre en primera fila, pancarta en mano, incansable. Se levanta. No hay ningún motivo para alargar la visita. Ya está todo dicho y, además, Nuria Solís ha olvidado las normas elementales de cortesía y ni tan siquiera le ha invitado a un café. El mal rato ya pasó, se dice relajándose. Caminan en silencio hasta la puerta y, de pronto, antes de abrirla ella se detiene, se gira hacia el policía y le abraza. El subinspector Lozano no sabe cómo reaccionar y se queda rígido, con los brazos torpes. Al poco se deja contagiar por la emoción y la envuelve protegiéndola con su humanidad cálida. Es frágil, como una niña. Una niña rota. Se quedan así, abrazados, unidos en una despedida estéril. Gracias, murmura Nuria Solís. Y se separa de él dejándole una tibieza en el pecho que ha disuelto la acidez de su fraca- so. Le ha devuelto con sencillez el agradecimiento que los policías nunca esperan, pero que siempre desean. Ha entendido el esfuerzo que ha tenido que hacer para ir hasta su casa a decirles adiós. Sabe que él también se resiste a abandonar a Bárbara, a pasarla a otros que manosearán su recuerdo con entusiasmo, pero sin una pizca de delicadeza.

Con la puerta entreabierta, ella le sonríe entre las lágrimas y por unos instantes él puede intuir que su sonrisa antes era radiante y fresca como la de la fotografía de Bárbara que ha mirado y remirado tantas veces.

2. Nuria Solís

Nuria deambula por el piso como un alma en pena. La visita del subinspector la ha angustiado. No, se dice, no hace falta buscar excusas. Convive desde hace mucho tiempo con la angustia, pero a veces se hace tan lacerante, que la siente como un cuchillo arrancándole la piel. Como ahora, que la ha dejado sin aliento y la ha empujado a abrir la puerta de la habitación de Bárbara. Está intacta, tal y como la dejó cuatro años atrás. Es la única habitación de la casa que limpia regularmente, como un santuario. Saca el polvo de las estanterías, barre el suelo y pasa el trapo por encima de la mesa. Antes se encerraba dentro para beber, a solas. Ella, la botella de Torres 10 y el olor de colonia de Bárbara. Rodeada de sus fotos, de sus libros, de los juguetes de cuando era niña. Salía alterada y tardaba semanas en volver a levantar cabeza. No controlas, le decía Pepe. Y aunque al principio lo negaba acabó por admitirlo. Se estaba dejando llevar por una espiral de autocompasión destructiva. El análisis tan preciso se lo hizo el psiquiatra. Y le recetó pastillas. Pastillas para levantarse, pastillas para andar, pastillas para dormir, pastillas para vivir. Sospechaba que eran demasiadas pastillas, que las pastillas le robaban la rabia y le ahogaban el grito. Pero también le borraban el dolor. Vivía tibiamente, en un baño María, pero cuando se las olvidaba adrede Pepe la regañaba y la obligaba a tomarlas. Estás enferma, acéptalo.

Ahora convive con las pastillas, ha olvidado las copas engañosas y ya no piensa tan a menudo en el suicidio.

Pero no está bien.

No lo estará nunca.

Arrastra la losa de sus obligaciones. Tras seis meses de baja volvió al trabajo. Es enfermera y hace el turno de noche en el Hospital Clínico. No lo puedes dejar perder, le aconsejó Pepe, está cerca de casa, el trabajo te distraerá. Da lo mismo, así no sufre insomnio ni tiene que bregar con las horas oscuras, interminables, escuchando el tictac del despertador y los ronquidos de Pepe. Casi no duerme. Al volver a casa, de buena mañana, prepara el desayuno a los gemelos, los levanta y los despide. Luego se mete en la cama y simula que descansa, pero no puede desconectar. Da cabezadas, cierra los ojos y los vuelve a abrir en seguida. Tiene palpitaciones y el corazón, descontrolado, late como quiere. En el hospital hay poco trabajo durante las noches. La destinaron a la planta de ginecología y las compañeras, solidarias, comprensivas, explican chistes, celebran los cumpleaños con dulces y cava y la abrazan maternalmente para ahuyentar la tristeza. Los abrazos la reconfortan y a veces, en su compañía, se siente como era antes, una mujer fuerte, pragmática y resolutiva. Una mujer que podría haber llegado lejos si hubiera desenredado pacientemente la madeja de sus sueños estirando del hilo de ir a vivir al campo, del de comprarse una furgoneta para viajar por el mundo o del de acabar la carrera de medicina que dejó colgada al nacer Bárbara. Porque Nuria codiciaba proyectos ambiciosos que se difuminaron con las maternidades y se esfumaron completamente con el cataclismo de la desaparición de la hija. Antes tenía responsabilidades, prestigio y muchos puntos para llegar a ser Jefa de Planta de enfermería. La voluntad que tenía de joven para subir montañas, escalar paredes y bajar pistas de esquí en los Alpes y que la convertía en una muchacha briosa es ahora un recuerdo difuso, el que le devuelven fotografías del pasado que parecen pertenecer a otra persona, a una estudiante de medicina risueña y valiente, la chica de quien se enamoró Pepe. Ahora ya no se hace fotos. No quiere ver la imagen de la mujer que capta el objetivo. El trabajo es absorbente y a veces hasta se olvida de Bárbara. Hay momentos en que la premura por salvar una vida borra por un instante su propia agonía. Ha visto cortar pechos, extirpar matrices y operar trompas y ovarios y también ha visto morir a chicas jóvenes. Y en esos momentos precisos sabe que hay padecimientos como el suyo, o que cuando menos, lo igualan. Pero le dura poco. Tras darse la vuelta y regresar a casa se le hunde de nuevo el suelo bajo los pies. No hay nada peor que convivir con la incertidumbre, se lamenta. Los vivos entierran a los muertos y los lloran. Les llevan flores al nicho y los visitan por Todos los Santos. Pero ella no sabe si Bárbara está viva o muerta. No sabe si debe llorarla y

22

pasar el trance del luto o si debe mantener viva la llama de la esperanza. Y esa duda, este ir y venir constante, la ha ido carcomiendo. No obstante es orgullosa y no soporta que la compadezcan. Abomina la compasión y por esto no pisa las tiendas. Sólo va del hospital a casa. No ha vuelto a poner los pies en la escuela de los gemelos, la misma escuela donde fue Bárbara durante doce años. No quiere hablar con nadie y sobre todo no quiere ver a las madres acompañadas de sus hijas. La única vez que fue de compras con Pepe veía madres e hijas por todas partes, obsesivamente. Eligiendo unos zapatos, mirando pendientes, probándose una camiseta, riendo en la cola de la carne. Fue como un puñetazo en el estómago. ¡No puedo, no podré, no lo podré hacer nunca! ¡Bárbara no está!, repetía en el coche sacudida por el llanto, víctima de una crisis histérica. Hasta que Pepe la abofeteó. No volveré nunca más, se juró.

Se lo ahorra. Pepe se hizo cargo de las compras semanales, de sacar a pasear el perro, y pasó a ocuparse de la logística. Los primeros días Nuria tropezaba continuamente con el perro de Bárbara husmeando arriba y abajo del piso y ladrando lastimeramente ante la habitación vacía. Llévatelo por favor, le suplicó desesperada a su marido. Y Pepe lo metió en el coche y lo dejó en la casa del Montseny. Le está muy agradecida porque no le hace falta pensar. Ha perdido la costumbre de pensar, de decidir, de escoger. Hace lo que le dicen y basta. No puede tomar decisiones y lo acepta. En cambio Elisabeth, su hermana, todavía no lo ha entendido. ¿No te das cuenta de que tú no eres así?, le decía. Reacciona, por favor, grita, pega un golpe contra la pared, haz algo.

Es como una niña Elisabeth, piensa a menudo Nuria Solís. Se aferra a las imágenes de la niñez y se resiste a aceptar los cambios. Tampoco aceptó su matrimonio ni su maternidad porque significaban renuncias, las renuncias de la madurez. Creía que siempre sería una cabra loca triscando montaña arriba sin desfallecer. Elisabeth habría querido tener siempre la misma hermana mayor que no temía la oscuridad, le cantaba canciones y le cogía la mano por las noches. No se resigna a su desidia. Debes ser autónoma, insistía. ¿Autónoma para qué?, se preguntaba ella. ¿Por qué tendría que querer ser autónoma si no tengo ningún deseo? La gente que está viva no puede concebir que los demás dimitan. Son un estorbo. Iñaki, su cuñado, la invitó tres veranos seguidos a navegar con el velero. El mar te sentaría bien, la brisa y los baños te vivificarían. Es vasco, vital, y no puede vivir sin el mar. Pero a ella le resulta indiferente, como tantas y tantas cosas. Necesitas unas vacaciones, insiste Iñaki cuando la llama. ¿Unas vacaciones para qué? ¿Es que no ve que para ella no hay ninguna diferencia entre unos días y otros? Todos son una condena los pase donde los pase. Está condenada eternamente a sufrir. Si pudiera saber tan sólo si está viva o muerta, podría deshacer el nudo que tiene en el pecho y que a veces la ahoga. ¿Dónde está? ¿Está? ¿No está? ¿Cómo la debe de recordar? ¿Viva o muerta?

Hay días en que el cadáver de Bárbara la visita como una pesadilla recurrente. Hay días en que la sueña riendo, con la nariz manchada de helado de chocolate y vainilla. Pero otros días, los que más, la intuye sufriendo, sola, y entonces la atenaza la impotencia.

Bárbara, de niña, era suya. Mi niña, le cuchicheaba al oído mientras dormía chuperreteándose el pulgar. Iban juntas a todas partes. Tengo un chicle de menta enganchado, bromeaba con sus amigas. Miradlo, se llama Bárbara. Yo no soy un chicle de menta, soy una niña de fresa, protestaba ofendida. Vivaracha, avispada, lista. Bárbara creció con esos adjetivos. Empezó a hablar muy pronto y lo chapurreaba todo con su lengua de trapo. A veces le hacía pasar vergüenza en los ascensores o en las consultas de los médicos. Mira, mamá, esta señora va teñida. Y... claro está, yo también. Sí, pero ella va mal teñida y se le ven las raíces y a ti no.

Anécdotas para ser explicadas en las cenas, con risas ahogadas, que se multiplicaron al llegar los gemelos. Bárbara tenía cuatro años cuando nacieron y los fue a visitar a la clínica. Ella se los enseñó, emocionada. ¡Mira qué juguetes tan bonitos! Bárbara los observó circunspecta, les hizo cuatro monerías de compromiso, abrió la puerta del armario y dijo muy seria: Ahora ya los podemos guardar, mañana volveré a jugar un rato.

Hubiera querido aferrarse a la niñez de Bárbara, pero pasó demasiado deprisa y ella mientras tanto estaba atada de pies y manos con los gemelos, siempre viviendo a ras del suelo, con la cabeza baja y los riñones doloridos. Entonces, Bárbara se alió con Pepe. Él le hacía cosquillas, la bañaba y la llevaba al parque. Se entendían tan bien que prefirió no interferir. Cuando levantó cabeza, Bárbara ya parecía una mujer y Pepe empezaba a sentirse disgustado por su rebeldía incipiente. A los doce años Bárbara era una chica alta y descarada que no se arredraba ante nada ni nadie. Pepe no lo digirió y en cambio a ella le hizo gracia. Las desavenencias sobre la educación de los hijos afloraron. Pepe se esforzaba por enmendar su comportamiento provocativo, pero ella lo fomentaba. No sabía ponerle límites. No sabía decirle no ni enfadarse en serio porque sin querer se le escapaba la risa por debajo de la nariz y la aplaudía por tener arrestos. No supo prever los peligros de su eclosión. A los doce años Bárbara se comía el mundo y, aunque a ella ya le parecía bien, Pepe, más clarividente, no estuvo de acuerdo. Esta niña no irá a Bilbao el verano próximo, decidió taxativamente un año al volver Bárbara del norte. Fue la pelea más ácida, la más desagradable que tuvieron antes de que empezara todo. Bárbara pasaba siempre el mes de julio con su hermana y su cuñado. La llevaban a la playa, a navegar, a bucear y a practicar surf. Iñaki y Elisabeth, más jóvenes y permisivos, la dejaban irse a dormir tarde, practicaban el nudismo y hacían otras cosas que Pepe desaprobaba y que ella, quizás más tolerante, intentaba suavizar. Discutió y discutió, pero Pepe se obcecó y Bárbara se quedó sin vacaciones en el norte.

Ha pensado en más de una ocasión en aquel episodio oscuro y desagradable. Ha querido olvidar también aquello que le explicó una vez Elisabeth, quizás no malintencionadamente, pero que fue motivo de disputa entre hermanas. Estuvo peleada dos meses, negándose a hablar con ella y a telefonearla. Nunca lo comentó con nadie. Le dolió tanto que no se vio con fuerzas de charlarlo con el subinspector Lozano. No quería

26

que metiera la nariz en sus intimidades ni que sacara a la calle sus trapos sucios. La colada se lava en casa, decía su abuela sensatamente. Arrinconó el insidioso comentario de Elisabeth tal vez porque no se lo creyó nunca o porque la imagen de su cuñado Iñaki, antes impecable, quedó ligeramente salpicada y no consiguió, por más que lo intentó, devolverle el aura de honestidad e integridad que siempre había tenido a sus ojos.

¿Por qué calló?

Por miedo. Porque Pepe habría cortado definitivamente con la familia. Nuria optó por tragarse a solas el disgusto y mirar hacia otro lado. Y ésa fue siempre su trampa. Para parar los golpes cerraba la boca y caía en la trampa del sentimentalismo. Se ablandaba al ver las lágrimas de Bárbara cayendo redondas y saladas, mejillas abajo, asustada por la estricta disciplina que intentaba imponerle su padre. No se lo digas a papá, por favor, por favor. Se enfadará. Complicidades engañosas que empezaron escondiendo notas de los profesores, salidas con las amigas y ropa chillona. Cosas sin demasiada importancia, al principio, pequeñas mentiras que fueron creciendo con los años. Como Bárbara.

Al cumplir los quince, Bárbara llevaba una doble vida amparada por sus coartadas. Y entonces los secretos se fueron haciendo más y más difíciles de guardar. Como cuando encontró los anticonceptivos encima de su cama, dejados desordenadamente, a la vista de todo el mundo, y habló con Bárbara, de mujer a mujer, sobre el sexo y las enfermedades de transmisión sexual, y le hizo prometer que tomaría precauciones más seguras. Bárbara la escuchó, pero le fue dando excusas para ir juntas al ginecólogo. ¿Cómo habría actuado otra madre en una situación así?, se preguntaba. En su caso primó el pragmatismo a costa de la ética. Quizás no tiene ética, piensa a veces. Ten cuidado, insistió aquel día. Y no le preguntó ni con quién, ni cuándo, ni cómo. Sabía que tonteaba con Martín Borrás, del Club Excursionista. Se telefoneaban, se veían y a veces los espiaba por la ventana cuando él la acompañaba con la moto. Le pareció demasiado mayor para Bárbara. Era rubio, escurridizo y jeta. Poca cosa más pudo deducir porque antepuso la discreción. O el miedo. Bárbara se cerraba en banda si le hacía preguntas. Y a Pepe mejor no hacerle ningún comentario sobre esos asuntos, le sacaban de quicio. Ella estaba en medio de ambos y los temía. Sí. Había tenido miedo y había sido la inductora de la conducta de su hija escondiéndole cosas a Pepe. Le parecían naturales, propias de una chica. Quizás no de una chica de quince años, pero Bárbara aparentaba muchos más y los tiempos habían cambiado. No hacía falta tacañear, pensaba Nuria mirándose en el espejo de su propia hija. No hacía falta poner números rastreros a la libertad de las chicas ni a la edad de las primeras experiencias sexuales. La pubertad se había adelantado. Lo decían los diarios, los médicos, los profesores, y ella no veía ningún mal en enamorarse y disfrutar de nuevas experiencias. Quizás se dejó llevar por la nostalgia o por la estupidez, pero estaba firmemente convencida de que la vida eran dos días y de que Bárbara tenía derecho a vivirla.

Confundió el deseo con la educación. No se educa a los hijos en la permisibilidad absoluta, le recriminó

28

el psiquiatra cuando le explicó su culpa recurrente. No se puede confiar en su criterio a medio formar. Los padres deben poner los límites.

Y ella no los supo poner.

Ahora Nuria, cuatro años después, se culpa de haber lanzado a Bárbara a los brazos de Martín, de haber mentido a Pepe las noches que le decía que Bárbara estaba estudiando en casa de una amiga, de haber consentido en convertirse en la tapadera de sus citas, de sus salidas nocturnas. Querría rebobinar en el tiempo. Que todo pudiera ser como antes. ¿Qué antes? Quizás cuando Pepe y ella se querían. Porque al principio se habían querido de verdad. Cuando se conocieron, cuando se casaron deprisa y corriendo, cuando nació Bárbara. Querría volver atrás y tener una segunda oportunidad de educar a Bárbara con mano firme, con responsabilidad y determinación.

Pero es una quimera.

Bárbara nunca volverá y ella jamás descubrirá las respuestas a los porqués de todas sus preguntas.

3. Bárbara Molina

He tenido un pronto y le he escondido el móvil. Ha sido instintivo. Al ver que lo olvidaba encima de la cama me he sentado encima, fingiendo naturalidad, y he continuado hablando como si nada. El corazón me latía acelerado, era imposible que no lo oyera. Toc, toc, toc, sonaba desbocado, a punto de salírseme por la boca. Pero no me he movido ni un milímetro. Ahora me preguntará dónde está el móvil, me iba repitiendo, y yo fingiré que me levanto a buscarlo, lo cogeré y diré: ¡Anda! ¡Se te ha caído!

No ha hecho falta representar la comedia porque iba agobiadísimo y se ha largado corriendo. Tengo prisa, me ha dicho. Y debe de ser verdad porque no se ha llevado la ropa sucia y las basuras como hace siempre.

Una vez ha cerrado la puerta no he picoteado con gula la comida, ni he hurgado en la ropa ni he leído el título de los libros, ni he comprobado si se ha acordado de la espuma del pelo que le había encargado. Me he lanzado ansiosa sobre el móvil, incrédula, hecha un flan. ¿Y si le da por volver de pronto? Se me ha ocurrido. Y lo he escondido en seguida bajo el cojín con un gesto miedoso, hasta que he oído el motor del coche alejándose. Entonces, he respirado hondo, he retirado el cojín y me he quedado embobada contemplándolo, sin atreverme a rozarlo, con las manos temblorosas, como cuando tenía siete años y los Reyes me trajeron la Barbie. Luego, lo he tomado con muchísimo cuidado. Es un modelo Nokia de color negro, con radio, con cámara fotográfica, y está encendido. Pero, pero... me he puesto en pie nerviosa pulsándolo con ambas manos y moviéndome de una esquina a otra, con el corazón encogido, sin osar respirar, esperando ver aparecer la rayita de un momento a otro. Ahora, quizás aquí, he intuido un par de veces. Pero ha sido en vano. ¡No, no me lo puedo creer! ¡No hay cobertura!

Y de pronto me doy cuenta que no podré hacer ninguna llamada.

¡No puede ser, no puede ser, no puede ser!

No sé si lo he gritado o lo he pensado. Da lo mismo porque nadie me puede oír. Estoy en un sótano de quince metros cuadrados sin ventanas, excavado en los cimientos de una casa rodeada de campos. Una antigua bodega de paredes de piedra, insonorizada con corcho, blindada y permanentemente a temperatura de quince grados. Quizás fuera ideal para conservar vinos, pero ahora es mi tumba. No hay vecinos cerca. He desaparecido sin testigos, sin pistas. Me ha tragado la tierra y nadie sabe que estoy viva.

No ha sido fácil resignarme a la idea de que fuera de este zulo el mundo ha girado durante cuatro años sin mí. Al principio gritaba hasta quedarme afónica y cuando me dolía la garganta golpeaba las paredes con los puños, un golpe y otro. Me lastimaba hasta que me sangraban los nudillos y las manos me quedaban hinchadas, negras, cubiertas de costras. El dolor era insoportable y lloraba hasta quedarme seca. Aun así, nadie me sacaba de este agujero y los días iban cayendo uno tras otro como una guillotina que me iba decapitando la esperanza.

Es muy fuerte tener que aceptar que estoy sola, pero sé que a estas alturas nadie se acuerda de mi nombre. ¿Bárbara? ¿Bárbara qué? El mundo, asquerosamente egoísta, no ha tenido ninguna consideración y me ha tirado al cubo de la basura.

Quizás sea mejor así, sin cobertura, me consuelo. Al fin y al cabo no podría llamar a nadie. ¿A la familia? Sólo de pensarlo me tiemblan las piernas y se me nubla la vista. No puedo tragar saliva. Se me ha secado la boca y me estorba la lengua hinchada, enorme, demasiado grande para dejar pasar el aire.

No, la familia no, me digo. Aunque saliera de aquí no los podría mirar a la cara. Sería incapaz de abrazarlos y besarlos. No tendría valor para decirles que los quiero. Él me ha repetido una y mil veces que no me perdonarían, que me echarían de su lado, que si supieran todo lo que ha sucedido preferirían que hubiera muerto. Ya no tengo familia ni la tendré nunca. Si supieran quién soy y lo que he hecho se avergonzarían de mí y me darían la espalda.

Respiro poco a poco sintiendo dolor en el pecho. Es un pinchazo agudo entre las costillas, intermitente, furioso. Me pasó cuando barajaba las posibilidades de huir. Fue en la ocasión que cavaba un túnel y un día, al oír sus pasos, coloqué atolondradamente un almohadón encima para disimular el agujero. O cuando calculé la distancia que me separaba del bolsillo de su pantalón donde escondía las llaves y en un descuido se las cogí. En ambas ocasiones sentí el mismo pinchazo angustioso en el pecho. Se me notaba. Estaba pálida y ojerosa. ¿No me querrás joder? Y yo todavía palidecía más y él sabía que había acertado. Me observaba atentamente sin quitarme el ojo de encima hasta que levantó el cojín o me hizo abrir las manos con las llaves dentro. ¡Mira que llegas a ser idiota!, decía antes de atarme. ¡Ya lo has vuelto a estropear!

¿Por qué he cogido el maldito móvil si no puedo llamar? Soy una idiota, sí. No le puedo esconder nada. Es un desgraciado, no sé cómo lo hace pero lo sabe todo, lo intuye todo, lo adivina todo. Me radiografía los pensamientos. ¿Quieres saber qué pasaría si te encontrara la policía?, me dijo un día que yo cavilaba sobre la forma de escapar. No conoces a la policía. No son como los de las series. Son unos desgraciados y te tratarían como a una delincuente. Te harían desnudar para pasar una revisión. Los médicos llevan guantes y mascarilla, y te meten los dedos por todas partes con asco, como si tuvieras el sida. No te lo dicen, pero se nota. Te sacarían sangre, te harían mear en un vaso, te fotografiarían en pelotas y colgarían tus fotos en la pared, para que todo el mundo las viera. Después te interrogarían. Te sentarías delante de un inspector de policía barrigudo que te obligaría a explicar uno a uno todos los detalles escabrosos de tu vida, desde el principio, mientras se hurgaba los dientes con un palillo. Lo grabaría todo, una secretaria lo escribiría en el ordenador y al cabo de unas horas tu declaración pasaría de mano en mano y los agentes de la comisaría se partirían de risa leyendo cómo cagabas dentro de un cubo. Luego la prensa sensacionalista publicaría tu foto en portada y te esperaría un juicio largo, tenso y mediático. Tendrías que declarar delante de un juez que no te creería ni media palabra. ¿Pretendes que alguien se crea a una putita como tú? Se darían cuenta de que estás zumbada y el fiscal clamaría al cielo contra tus mentiras.

Sé que me quería intimidar, pero también sé que tenía parte de razón. La policía y los jueces siempre me han dado repelús, son rígidos e insensibles. Suspiro y me quito un peso de encima. Mejor. Quizás mejor que no haya cobertura y que no pueda hacer la llamada. No quiero ser una noticia morbosa. No quiero salir de aquí para que todo el mundo me señale por las calles porque mi foto ha aparecido en el diario y me salude con amabilidad hipócrita y me ponga a parir minutos después en la cola de los cajeros de los supermercados. No quiero levantar compasión ni risas, no quiero estar en la boca de la gente, en los sueños perversos de los jóvenes, en el imaginario tortuoso de los viejos. No quiero vivir permanentemente escondida de los *paparazzi* que son capaces de trepar hasta los tejados, descolgarse por las ventanas y colarse como ratas en los cuartos de baño para robar una foto. ¿Por qué no han entrado aquí? ¿Por qué no han tenido los huevos de bajar a los infiernos y sacarme de esta cárcel?

No, me digo, no estoy preparada para salir. Dirían que tengo la culpa, que ya no soy una niña, que no

34

me chupo el dedo. Se lo merece, gritarían las madres. Se lo ha buscado ella solita, es una irresponsable, un peligro. No, no soy inocente. No lo he sido nunca. Yo lo quería, lo propiciaba, me gustaba. Y ahora no me controlo, pierdo la cabeza y se me va la olla. ¿Qué haría con mi libertad? Pegármela, como siempre. Me da pavor el mundo que hay ahí fuera. He aprendido a camuflarme dentro de la oscuridad y no podría resistir la luz del sol. Además, he cumplido diecinueve años y todavía no me lo creo. Me he perdido. Ya no sé cómo se lo montan las chicas de diecinueve años. No sé cómo hablan, cómo se cortan el pelo, cómo bailan ni qué ropa llevan.

¡No, no! Me engaño. ¡Quiero salir de aquí! ¡Quiero ver el sol! ¡Quiero respirar!

Mierda.

Me dejo caer en el suelo, como un fardo, con las manos en la cabeza, y aprieto los dientes muy fuerte.

¿Por qué? ¿Por qué he tenido que coger el móvil y estropearlo todo? En un segundo de impulsividad he borrado tres años de resignación. No me hubiera imaginado nunca que un segundo me pudiera cambiar la vida. Siento de nuevo la rabia, el odio, la desesperación y tengo miedo.

No quiero volver a sufrir como antes. ¿Cómo se hace para rebobinar?

Había aprendido a sobrevivir, a conformarme, a preservar la vida y a olvidar todo el resto. Una vez acabé la resistencia, todo fue más sencillo. ¿Lo ves, nena, qué fácil es? Si te portas bien, yo también. Entonces fue amable. Me trajo más comida y me amplió el espacio.

Construyó un váter, una ducha, me compró un espejo, libros, un MP3 con música y hace un par de años me regaló un reproductor de DVD y algunas películas. Escucho U2, Coldplay y veo *Friends*. Me hacen compañía y las horas pasan más deprisa. Me sé de memoria los episodios de las ocho primeras temporadas y me muero por ver las siguientes. Ellos también están encerrados dentro de un plató, como yo.

Cuando he hecho lo que me ha pedido, cuando he dejado de esperar, él se ha enrollado bien. Te quiero mucho, nena. Yo no quería llegar hasta aquí, pero me obligaste. Es jodido para los dos. Y si le pido una cosa me la trae. Me consiguió una plancha para el pelo, crema de depilar e incluso esmalte rojo para las uñas. Me las corta él, como el pelo, eso sí. No me deja ningún cacharro afilado, me dice que no quiere que me haga daño, pero quizás tiene miedo de que en un descuido le pueda hacer daño a él. A pesar de todo, a veces he tenido prontos. Ahora mismo la he cagado cogiendo el móvil. Me arrepiento. ¡Cómo me arrepiento! No controlo. Por eso me quitó el espejo, para que no me cortara con los vidrios. Hace un año que no sé qué cara tengo. Lo intuyo, tan sólo, a partir del dibujo de mi perfil en el culo de un plato de plástico. Sólo me ve Él y dice que estoy muy guapa, que tengo el cutis blanco y limpio, que no envejeceré porque el sol y la polución no me estropearán la piel.

Me clavo las uñas en las palmas de las manos y aprieto, aprieto y aprieto hasta hacerme saltar las lágrimas.

¡Quiero envejecer, quiero sudar, quiero reír, quiero

hablar, quiero morder, quiero coger la arena a puñados, restregármela en la piel, lanzarme al agua y salir llena de sal, de yodo, de luz!

Ahora que había aprendido a resignarme escupo de golpe la rabia que tenía escondida. Como antes. ¿Era yo la salvaje que se revolvía, mordía, escupía y pegaba puntapiés? Me ha costado hacer borrón y cuenta nueva y aprender a vivir minuto a minuto inmersa en la misma rutina agobiante. Era cómodo zambullirme en un horario. Algo así como acurrucarme dentro de la barriga de mamá y dejarme mecer. Cada día me metía dentro de una burbuja placentera donde nada sucedía y nada podía estorbar mi paz. Me levantaba, hacía los ejercicios de gimnasia que me trajo, me duchaba, me preparaba el desayuno, leche y tostadas con mantequilla y mermelada, escuchaba música mientras desayunaba y luego cogía mis libros de estudio y empezaba mis clases. Estos años me trajo libros recogidos de aquí y de allá porque yo se lo pedí. De Biología, de Historia, de Lengua, de Inglés. En estos momentos podría presentarme al examen del *First Certificate* sin problemas. El mes pasado me trajo una novela en inglés, *Coraline,* de Neil Gaiman, y me explicó que habían hecho una película de animación muy buena y que cuando saliera en DVD me la traería. Las matemáticas y la física me las explicaba él sin demasiado entusiasmo y yo resolvía los problemas. Estudiar no me cuesta. Me ahorra pensar en otras cosas y me aporta pequeñas satisfacciones. Entender un problema, memorizar unas fechas o leer un libro en inglés me hace sentir algo mejor que mirar el techo durante horas. Tampoco me planteé por qué quería continuar estudiando. Si me lo hubiera cuestionado todo me habría vuelto loca. A mediodía me calentaba en un microondas la comida preparada que me traía. No me dejaba cocinar, no se fiaba de mí, pero en la pequeña nevera guardaba restos, por si las moscas. Apartaba una cuarta parte de la ración del día, la volvía a meter en el *tupperware* y lo escondía en la nevera. Estoy delgada, pero no me preocupa. Así sé que si él no viniera sobreviviría unos días. Si tardara más, prefiero no pensarlo.

Después de comer veía *Friends* y durante aquel rato me sentía como en casa compartiendo el apartamento de Joey y Chandler, cuidando de su pato y su pollo, sufriendo el embarazo múltiple de Phoebe o mordiéndome las uñas cada vez que Ross y Rachel cortaban, que Joey perdía un trabajo o que Mónica quería ganar una apuesta.

A media tarde hacía ejercicios de musculación durante media hora con dos pesas de dos kilos cada una. Antes practicaba delante del espejo, pero ahora ya no lo tengo y me fastidia. Y bailaba. Bailaba cerrando los ojos e imaginando que estaba en la disco de noche, que tomaba un trago de cerveza y se me subía a la cabeza, que sentía un cosquilleo en las piernas y unas ganas de reír por cualquier tontería. Al anochecer leía. He leído mucho. He leído tantos libros durante estos años como probablemente otra gente en toda su vida. A él no le gustan las novelas, prefiere el ensayo, dice, y como yo las devoraba tan deprisa las pidió en préstamo a una biblioteca sin ningún criterio. Un día me traía Dumas, el otro Barbara Kingsolver y al siguiente Orson

Scott Card. Leí novela romántica, histórica, de ciencia ficción, policíaca y al final, agobiada por el caos y encantada por los descubrimientos, le hacía encargos de títulos y autores. Pero lo cumplía irritado, de mala gana, porque le hacía perder demasiado tiempo y decía que la bibliotecaria lo miraba mal. Y entonces la cagué por culpa de los libros. Recuerdo perfectamente aquel momento en que estropeé seis meses de mi vida. Un día reflexioné sobre el hecho de que los libros que yo leía pasaban luego por otras manos y tuve la ocurrencia de dejar un mensaje dentro. ¡Claro! Era muy sencillo. Era el único contacto con el exterior. Escogí un libro titulado *Ali y Nino,* de Kurban Saïd, un libro de amor y guerra, divertido y trágico que me leí tres veces sin respirar. Pensé que la persona que escogiera ese libro sería alguien especial y se daría cuenta de que mi mensaje era de verdad. Escribí cuatro rayas, en una página cualquiera, explicando quién era y pidiendo auxilio. Al día siguiente abrió la puerta hecho una furia y me lanzó el libro a la cabeza. ¡Te crees que soy idiota!, gritó, ciego de ira. Me pegó hasta que se le cansó el brazo y me dejó a oscuras. Tres días sin comida, machacada, herida, sin luz, sin música, sin *Friends.* Olvidada en un agujero. Aquella vez creí que me dejaría morir. Pero al cuarto día apareció, se sentó en la cama y con voz queda me confesó que le daba mal rollo tenerme ahí encerrada, siempre vigilándome, siempre pendiente de que yo no lo jorobara. Me dijo que él no era un carcelero y que ya estaba harto de controlarme. Que si yo colaborase, sería más fácil. Respondí que sí. No tenía otra opción y quería vivir.

A pesar de mi buena disposición me dejó sin libros durante seis meses. Fueron los meses más largos, los más tristes. Aprendí la lección y no intenté desobedecerlo hasta hoy. Esperaba con deleite cada día su visita y sus bolsas de ropa y comida. Procuraba tener el cuarto aseado y me duchaba por las mañanas para que no frunciese la nariz con desagrado al poner los pies dentro de mi prisión. No quería causar pena ni compasión. Me reconfortaba su sonrisa, verlo, oírlo y tocarlo. No es tan difícil, nena. Y quizás tenía razón. No hay nada comparable a la placidez de vivir sin esperar nada del futuro, disfrutando de los pequeños momentos, libre de estrés, de obligaciones, de sueños, de deseos, de culpa. Una clausura eterna.

Todo esto era mi vida hasta hace unos minutos y ya me había conformado. Pero de pronto me doy cuenta de que me he engañado y de que nada tiene sentido.

No puedo quitar los ojos de la pequeña pantalla. Sé que si apareciera una rayita todo podría ser diferente, pero no sucede.

Mi deseo me ha empujado tontamente a mi propio final.

4. Salvador Lozano

Salvador Lozano llega a su despacho con mal sabor de boca. Lo primero que hace es quitarse la corbata, la americana y arremangarse las mangas de la camisa. Encima de la mesa le esperan cajas repletas de papeles. Hay tantos que compadece a Toni Sureda. Rectifica. No, no lo compadece, lo envidia. Al fin y al cabo, le queda lo que a él le ha faltado: tiempo. Mucho tiempo, todo el tiempo del mundo. Tendrá tiempo para dar y vender. Podrá leerse todos los documentos por delante y por detrás, podrá resolver los casos dejados a medias y podrá romperse los cuernos sin tener encima la espada de Damocles de la jubilación. A Toni Sureda no se le acaba el tiempo. No vivirá en la angustia permanente de la cuenta atrás.

La visita a la señora Molina le ha ratificado la certeza de que se ha hecho viejo. Después de casi cuarenta y cinco años de ejercicio de la profesión está cansado y debe ceder el puesto a un chico joven, entusiasta e informal. Se sonríe al mirar el reloj. Y tan informal. Aún no ha llegado, aunque quedaron a las doce. Tal vez anoche salió hasta tarde para celebrar su ascenso. A lo mejor bebió y estuvo haciendo el amor con su mujer, una

41

chica joven y rubia. ¿Es teñida? Ahora ya no se sabe porque las fotos son engañosas y él se la enseñó a toda prisa. Es profesora de matemáticas en un instituto de Secundaria, le dijo orgulloso. No se han casado, pero viven juntos desde hace dos años en un apartamento de treinta y cinco metros cuadrados que compraron en el barrio del Raval. Y los imagina arrimados en la cocina, preparando unos macarrones, porque en un espacio tan pequeño es imposible mantener las distancias. Seguro que están muy enamorados, pendientes el uno del otro, deseosos de vivir el futuro que les abre las puertas de par en par. Entusiastas.

Le parece ayer cuando él era como ese chico. Con ganas de resolverlo todo, de comerse el mundo, de no detenerse ante ningún enigma. Su historia es como la de tantos otros. Un guardia civil de Cáceres que llegó a Barcelona, a finales de los sesenta, con una mano delante y otra detrás. Ni siquiera sabía que en Cataluña se hablaba catalán. No sabía nada de nada, ni falta que le hacía, se veía capaz de aprenderlo todo. Y lo hizo. Se puso las pilas y se casó con una catalana de Sabadell que trabajaba en la estafeta de Correos y cocinaba escudella para Navidad. Pero no se conformó con ser un agente de a pie con sueldo de hambre. Estudió por las noches, ascendió, aspiró a responsabilidades, pasó al cuerpo de Mossos d'Esquadra y opositó a sargento y subinspector. No le han regalado nada, dice con la cabeza bien alta. Sus hijos ya son catalanes. La pequeña tiene una peluquería de su propiedad en Hospitalet y ya lo ha hecho abuelo. El mayor ha estudiado Derecho y ha abierto un despacho de abogados con unos amigos

42

en el barrio de Les Corts. Tiene las fotos de su familia sobre la mesa y las exhibe orgulloso. Siente debilidad por Santiago, el mayor, porque ha ido a la universidad y podría pasar por un chico del Ensanche de toda la vida. Como los Molina.

La puerta se abre y entra su sustituto vestido con una camiseta oscura, unos vaqueros y unas deportivas de marca. Aunque lleva las gafas de sol puestas. Quizás lo ha aprendido de las series de detectives y se cree que imprimen estilo. O tal vez intenta disimular que salió de marcha la noche anterior. ¿Qué hay?, le pregunta cordialmente. El chico se sienta sin prisas y bosteza. Lo siento, se disculpa, he dormido poco, necesito un café. Salvador Lozano se felicita. Tenía razón, el chico no ha pegado ojo. Lleva cuarenta años haciendo conjeturas sobre los comportamientos humanos y se ha convertido en una deformación profesional.

Mientras Sureda va a buscar dos cafés con parsimonia, él vuelve a mirar y remirar el caso de Bárbara, el que más le duele, el que se ha dejado para el último día. A veces sus suposiciones le llevan a pensar que la joven yace en el fondo de un vertedero de basura o a imaginar su cuerpo flotando en las alcantarillas, o despedazado en maletas abandonadas en la playa.

El subinspector Lozano observa cómo el chico bebe el café a pequeños sorbos y cuando se quema la lengua, la tiene tierna aún, sopla y aprieta los dientes como una criatura. Por la forma en que coge el bolígrafo adivina que sueña con un cigarrillo, pero que sabe aguantarse. De pronto, Toni Sureda señala la carpeta. ¡Bárbara Molina!, exclama. Creía que era un caso cerrado.

Salvador Lozano no responde inmediatamente. No se cerrará hasta que no demos con la solución, y jode, jode mucho tenerlo abierto y sin resolver. Ya te darás cuenta que un caso sin cerrar es una herida sin cicatrizar, dice con un tono profesoral. Procura que cada frase sea un compendio de sabiduría de la que no se puede adjuntar en una carpeta y que se aprende en la calle con el trato con las personas, escuchando su sufrimiento, acompañándolas en su dolor, dándoles el pésame en los funerales. La recuerdas, ¿verdad? Una joven de tan sólo quince años desaparecida. Sureda hace un gesto afirmativo con la cabeza. He mantenido el contacto con los padres, sobre todo con el padre, que es quien tiene la cabeza en su sitio. Era un caso sencillo, al principio. Una chica que huye de casa con quince años, deja una nota explicando que se va lejos y que no la busquen, y se lleva una tarjeta de crédito de la madre. Al cabo de dos días se la localiza en Bilbao, donde tiene unos tíos. Y, efectivamente, se encuentran testigos conforme ha estado buscando a los tíos, que estaban de vacaciones. Pero, sorprendentemente, todo se invierte. Cuando los efectivos de la Ertzaintza y su propio padre la buscaban por Bilbao, Bárbara hace una llamada desesperada a su casa desde una cabina de Lérida, en plena madrugada. En la cabina se encuentran señales inequívocas de violencia, sangre de la víctima, y su bolso abandonado. Un testigo recuerda haber visto a una mujer joven arrastrada por una figura masculina, pero era de madrugada, había niebla y nunca pudo concretar detalles. En ese momento el caso adquirió unas dimensiones

44

trágicas con dos sospechosos consecutivos y muchos indicios. Trabajamos duramente, registramos muchas zonas, peinamos descampados y vertederos y tuvimos en jaque a toda Cataluña. Dedicamos mucho tiempo y muchos esfuerzos pero no fuimos capaces de encontrar nada consistente y definitivo. Hasta que los sospechosos dejaron de serlo por falta de pruebas y el juez archivó las instrucciones. Nunca más se supo nada.

Toni Sureda estira los brazos y hace una demostración de musculatura. Va al gimnasio a diario, calcula Lozano a ojo de buen cubero, un par de horas mínimo, y toma rayos UVA. Sospecha también que se depila el pecho y las piernas. Estas cosas le sorprenden. El otro día, mientras tomaban café en el bar, le explicó que antes de decidirse a ser policía había trabajado de vendedor de petardos y de entrenador de *fitness*. Me acuerdo perfectamente de Bárbara, se apresura a dejar claro el chico. Recuerdo sus fotos colgadas por la calle, las manifestaciones multitudinarias, las declaraciones de su padre, las búsquedas desesperadas cada vez que alguien hacía una llamada y daba una pista falsa. Y añade: Los involucrados eran un universitario de buena familia y un profesor, ¿verdad? Efectivamente, Martín Borrás y Jesús López, contesta Lozano. ¿Y qué se ha hecho?, pregunta inquisitivo el flamante futuro subinspector. Lozano por un lado se alegra de que Sureda siguiera con curiosidad el caso de Bárbara, pero por el otro le fastidia. No hay nada peor que una opinión preconcebida. Y los medios de comunicación, con su amarillismo, hicieron mucho daño al caso. Él no ha dejado nunca de vigilar a los sospechosos. Siempre ha creído que un día u otro cometerían algún error o que su propia trayectoria vital acabaría delatándolos. Cuando estudiaba por las noches leyó *Crimen y castigo* y sabe que esta conexión entre el crimen y el deseo morboso del asesino de jactarse de su obra es un hilo del cual tirar. Pero o no ha sido suficientemente hábil o los sospechosos han sido más listos. Por otra parte, no hay ningún crimen, ningún cuerpo que hable ni explique nada, ni ningún sitio adonde regresar. La niebla que esa noche cubría la ciudad de Lérida espesó con el paso del tiempo. Y si un día creyó que una ventolera la despejaría, ahora, a regañadientes, debe admitir que las huellas se han borrado definitivamente. La prueba irrefutable de su vinculación con la desaparición de Bárbara no ha llegado nunca.

Saca una ficha de cada uno. Las tiene actualizadas y se las pasa a Sureda mientras va recitando de memoria. Martín Borrás actualmente tiene veintiséis años. Vive con sus padres, un cirujano cardiovascular y una directiva de una empresa informática. Tienen un piso de propiedad en la calle París de doscientos treinta metros cuadrados. Ha tenido tres relaciones sentimentales e infinidad de flirteos de fin de semana. Ninguna chica le ha durado más allá de cuatro meses. La constancia no es su principal virtud. Tampoco ha finalizado los estudios. Aquí tienes su expediente del segundo curso de Dirección de Empresas que hizo en ESADE. Desastroso. Me consta que discutió con sus padres y que acabó saliéndose con la suya. Colgó los estudios y su abuelo lo contrató para no hacer nada con unas condiciones de escándalo. Dos mil trescientos euros mensuales y cuarenta y dos horas como supervisor de ventas de productos de ferretería, con coche, móvil y dietas aparte. Va cuando quiere y cobra cada mes, una tapadera para justificar su inutilidad. Tiene dinero y lo gasta a manos llenas. Ahora posee un Seat Ibiza tuneado y utiliza la casa de Rosas de sus padres como picadero. Va allí a menudo, casi cada semana. A estas alturas es el único que la utiliza. Conduce imprudentemente y ya le han quitado seis puntos del carné por exceso de velocidad. Es un despilfarrador, su tarjeta de crédito echa humo, compra ropa, gilipolleces, regalos caros, cena en buenos restaurantes, invita a los amigos a copas y se concede todos los caprichos. Hacia el día diecinueve de cada mes su cuenta está en números rojos. Ahora hará ocho meses organizó un buen sarao en una discoteca del Puerto Olímpico. Iba bebido, probablemente había tomado coca, y pegó un puñetazo a un tipo que quería bailar con su chica. Me enteré demasiado tarde, cuando el abogado de la familia ya le había sacado de comisaría y había limpiado el escándalo. La familia va con pies de plomo y es muy rápida barriendo la porquería que deja su hijo esparcida y escondiéndola bajo la alfombra. Toni Sureda, repentinamente, se ha puesto serio y él mismo toma la ficha y la hojea. ¿Desde cuándo tiene coche?, pregunta de repente. Se lo compró cuando empezó a trabajar con su abuelo, ahora hará dos años y medio, responde rápido Lozano, satisfecho del interés que demuestra Sureda. ¿Y has podido hablar con alguna de las chicas? Lozano se rasca la cabeza haciendo memoria. Invité a la primera, Laura Busquets, a co-

47

mer a Cal Pinxo, en la Barceloneta. Le llené el vaso de vino blanco y me explicó cómo se lo montaban ella y Martín sin cortarse ni un pelo. Fue muy clara. Digamos que era sexo y nada más, y muy apasionado. ¿Nota?, pregunta Sureda con una sonrisa maliciosa. Un notable alto, especifica Lozano siguiéndole el juego. Por lo demás nada destacable. No la pegó ni la violentó ni la forzó. Se la llevaba a Rosas con la moto y allí montaban la fiesta. No era ni la primera ni la única. Y ella lo sabía. Un profesional, vamos. Suspira Sureda quizás nostálgico de otros tiempos antes de la matemática, cuando él era entrenador de *fitness*. El futuro subinspector no pregunta nada más y Lozano saca la ficha del otro sospechoso.

No le hace falta ni ojearla, se la sabe de memoria. Jesús López, de treinta y nueve años, tal vez le haya ido peor que a Martín Borrás. Profesor de historia durante siete años en la misma escuela donde estudiaba Bárbara, fue despedido fulminantemente de un día para otro tras el revuelo de la desaparición. No sé si recuerdas que estuvieron a punto de abrirle un expediente por su especial relación con las alumnas. Pero nadie denunció. Eso sí, la mujer pidió el divorcio y le hizo sudar tinta durante tres años para visitar a los hijos. Ha terminado malviviendo en un estudio destartalado cerca del Mercado de San Antonio en compañía de un perro, dando clases de repaso mal pagadas, haciendo sustituciones en academias y visitando la consulta de un psiquiatra. Pero tomar fármacos y pasar los fines de semana en un piso lleno de humedades ante el televisor tampoco es ningún delito.

Sureda frunce el ceño con las dos fichas en la mano. ¿Todavía están bajo vigilancia?, pregunta. Lozano suspira. Hace tiempo que se acabó el presupuesto. Yo mismo he ido arañando horas para mantener los expedientes al día, aclara. La verdad es que creía de todo corazón que uno u otro se delataría al dar algún paso equivocado y que terminaría por cazarlo; por eso, al quedarme sin recursos continué manteniendo la vigilancia, discretamente, a horas perdidas durante los fines de semana.

Toni Sureda no dice nada, pero Lozano adivina que no está dispuesto a dedicar ni un minuto de su tiempo libre a vigilar a unos sospechosos por cuenta propia. Está demasiado ocupado con su profesora de matemáticas, su gimnasio y sus rayos UVA. Si él hubiera tenido la edad de Sureda probablemente tampoco lo habría hecho.

¿Y tu opinión?, pregunta de repente, con una mirada inquisitiva. ¿Mi opinión?, repite Lozano para ganar tiempo, desconcertado por la franqueza del chico. ¿Que cuáles son los argumentos a favor y en contra de cada uno de ellos? ¿Por qué continuas pensando que quizás uno de los dos fue el asesino? ¿Por qué esa fe? Eres un gato viejo y se me escapa tu perseverancia en creer que acabarán dando un paso en falso.

Lozano duda, se rasca la cabeza y reflexiona. No puede sentirse ofendido en ningún caso por el adjetivo viejo, al fin y al cabo lo es. Aunque tampoco es un honor ser un gato viejo. Implica experiencia, sí, olfato, también, pero no hay *glamour* ni mérito en ser un gato viejo, sólo años acumulados. Intenta olvidar la frase y ser capaz de explicar al chico los motivos que le han empujado a seguir metiendo la nariz en vidas ajenas fuera de horas de trabajo. Martín Borrás es agresivo y egoísta, suelta sin miramientos. Un joven acostumbrado a tener todo lo que desea. Un hijo único, malcriado, con pasta y criadas a quienes ha hecho la vida imposible, al igual que a sus profesores. El mundo, para él, es una bandeja llena de pasteles puestos ahí para él. Naturalmente, quienes lo rodean deben ser complacientes y estar a su servicio. Bebe mucho, ha sufrido un episodio psiquiátrico y consume coca. Es mentiroso, y lleva una doble vida a espaldas de sus padres, que han dimitido de oponerse a sus excesos. Pero todo eso, desgraciadamente, que es común a muchos chicos de buena familia, tiene un agravante que me ha hecho creer que sí, que podría haber sido él. Bárbara se negó a mantener relaciones sexuales con él y Martín Borrás como amante despechado puede ser una bomba de relojería. Sureda ha ido tomando notas frenéticamente, casi a ritmo taquigráfico. Finalmente levanta los ojos y le hace la última pregunta: ¿Si te pidiera dos adjetivos que definieran y que justificaran un crimen de estas características cuáles elegirías? Violento e impulsivo, responde sin dudar Lozano, súbitamente animado por el interés de su sustituto. ¿Y el profesor?, pregunta el chico sin intermitencia. Lozano se lanza de cabeza. Debo confesar que el profesor ha sido siempre el primero de mi *ranking*. Es un perfil más tortuoso, más laberíntico y construido con datos engañosos. Aparentemente, es un hombre respetable, educado y culto, con gustos exquisitos, mujer, hijos, profesión, hipoteca, capacidad de sacrificio, entusiasmo por el trabajo y principios. Pura fachada. Esconde a un pederasta encubierto y cobarde que nunca se había atrevido a salir del refugio de honorabilidad que le ofrecía su carné de identidad. Jugaba con las niñas mujeres y buscaba su admiración devota y quizás algo más que ni él mismo se atrevía a confesarse. Desconfío por definición de los cobardes y los mentirosos. Jesús López es ambas cosas y por encima de todo un abusador reprimido.

Lo ha dicho con rabia y con asco. No ha podido evitar añadir sentimientos personales, adjetivos despectivos ni mostrar abiertamente su rechazo. Sureda le ha pedido una impresión personal y subjetiva y se la ha dado. Por eso le sorprende la frialdad del chico, que se mete el bolígrafo en la boca, como un cigarrillo, y suelta: Me da más mal rollo Martín Borrás. Y lo dice sin ánimo de polémica. ¿Y por qué?, pregunta intrigado el subinspector. Porque es joven e inmaduro. Y entonces levanta los ojos y lo mira con una sinceridad abrumadora. Los jóvenes nos equivocamos más y siempre tenemos cosas de que arrepentirnos. Lozano calla. Ya hace demasiado tiempo que dejó de ser joven y no recuerda cómo pensaba ni cómo sentía. ¡Tengo hambre!, exclama repentinamente Sureda poniéndose en pie. De acuerdo, lo dejamos aquí y vamos a comer, sugiere Lozano mirando el reloj. Es un hombre de costumbres, de horarios, a las dos come. Pero Sureda se disculpa. El chico ya ha quedado con unos amigos de la academia. Lo siento, pero te tengo que dejar, murmura poniendo las fichas sobre la mesa. Después de comer tendré todo el tiempo del mundo para estudiar el caso de Bárbara, añade. Y el interés que había demostrado hace tan sólo unos segundos se desvanece de golpe sustituido por el deseo de zamparse un plato de pasta y un buen filete. Sureda debe de tener razón, la impulsividad es la peor enemiga de la juventud.

Lozano se queda solo y sabe que Sureda, mientras esté comiendo, no pensará ni un minuto en la chica, ni en su familia, ni en los sospechosos. Es un veterano e intuye que en cuanto Toni Sureda cruce la puerta dedicará una sonrisa zalamera a la secretaria y le dará una palmadita en la espalda a Sebastián. A lo mejor comentará el partido del domingo del Barça y hará patente su inquietud por si ganará o no la Champion. Pero no pensará en Bárbara Molina.

Lozano va a comer al mismo bar de siempre. Lo compraron unos chinos que continúan cocinando gazpacho los miércoles y paella los jueves. Al principio le dolió que su comedor pasara a manos extranjeras, pero ahora ya bromea con Liu Shin y su especial forma de marcar los platos. La conclusión es que al final ha salido ganando porque mantienen los precios y no son entrometidos. Los años le han vuelto desconfiado. Antes hablaba por los codos a la hora de las comidas. Ahora come solo, leyendo el *Marca* y mirando el telediario de refilón. Lo prefiere así porque de esa forma poco dolorosa se va desvinculando paso a paso del mundo y no le costará tanto cortar con él.

Quién sabe si Sureda, impulsivo y joven, podrá resolver algún día el caso de Bárbara Molina.

Y se pregunta cuáles habrán sido las equivocaciones de Sureda.

5. Bárbara Molina

Hoy no he abierto los libros ni me he calentado la comida. Me he pasado las horas pendiente del móvil, los ojos clavados en la pequeña pantalla, con la esperanza de ver aparecer las rayas milagrosas. Deseo desesperadamente salir de aquí y por fin tengo en mis manos la llave para conseguirlo, pero no es fácil. He dado mil vueltas por todos los rincones sin encontrar cobertura. Sé que la hay. Una vez le sonó el móvil cuando estaba conmigo, pero no puedo recordar el punto exacto donde se encontraba. Continúo incansable, arriba y abajo, me detengo, lo agito, lo levanto, lo coloco a ras del suelo, voy resiguiendo la esquina de la pared con sus recovecos, rastreo las diagonales por infinitésima vez. De repente, se me nubla la vista, me flaquean las piernas y me tengo que sentar en el suelo.

Estoy muerta de miedo. ¿Y si me equivoco? Estoy donde estoy porque una vez intenté hacer una llamada telefónica. Siempre me he arrepentido de aquel día. Fue en Lérida. Nos habíamos detenido para buscar un bar abierto y desayunar. Era muy temprano y él volvió atrás porque se había dejado la cartera. Me dijo espérame un momento, pero en cuanto lo perdí de vista huí. No tenía mi móvil, me lo había requisado, así que me lancé a buscar una cabina. Huí atolondrada, sacando el billetero e intentando coger las monedas que me iban cayendo al suelo mientras corría y corría como loca. Y la encontré dos calles más allá. Que no esté estropeada, me iba repitiendo, por favor que funcione, murmuraba hecha un manojo de nervios mientras marcaba con mano temblorosa los números de casa. Se puso mamá, pero estaba histérica y casi no me dejó hablar. ¿Dónde estás?, gritaba. ¿Dónde te has metido? ¡La policía y papá te están buscando! Y precisamente en esos instantes lo vi acercándose furioso hacia mí y sólo pude suplicarle ¡ayúdame por favor! Nada más, puesto que la moneda quedó atascada y yo, paralizada de miedo, me acurruqué en un rincón de la cabina, resignada al castigo. Él me golpeó. Una vez, dos, tres, cuatro, no paraba, cada vez que la cabeza me rebotaba contra el cristal aumentaba su rabia. ¿Qué les has dicho? Gritaba resoplando por el esfuerzo. ¿A quién has llamado? El teléfono colgaba del hilo balanceándose como un péndulo y la sangre manaba de mi nariz. Sangraba como un cerdo y salpicaba la cabina, la ropa, el bolso. ¡Basta! ¡Basta! Lloriqueaba intentando protegerme la cara con las manos. Entonces me agarró por un brazo y me sacó fuera. Ya en la calle, me dio su pañuelo para que me detuviese la hemorragia mientras me arrastraba como si fuera un perro. Ninguno de los dos nos dimos cuenta de que mi bolso se había quedado allí, en el suelo, abandonado. No nos cruzamos con nadie. No había nadie a esas horas por las calles de Lérida. Todo

54

el mundo dormía. Si me hubiera encontrado a alguien me hubiera lanzado a sus brazos pidiendo auxilio. Pero la niebla y la deshora hizo que estuviéramos solos, sin testigos, y que ése fuera un punto sin retorno. ¡Mierda!, gritó en la autovía al comprobar horrorizado que mi bolso había quedado allí. ¡Eres una imbécil!

No puedo llamar a casa otra vez. No quiero volver a llamar a mamá, que fue incapaz de actuar y no impidió que Él me encerrara en este agujero. Pero tampoco me sé más números de memoria. El de casa de Eva y para de contar. Y de pronto, regresa la imagen de Eva como una bocanada de aire fresco, del pasado, de la infancia, de momentos mejores. Eva. Mi mejor amiga. Lo fuimos, al menos, antes de que pasara aquello. No le guardo ningún rencor. Olvidé nuestras diferencias.

Me indigno por mi mala suerte y en un arrebato tiro el móvil lejos, como si me quemara, y cierro los ojos. Los abro, lo veo en el suelo y sufro porque quizás lo haya roto. ¿Cómo puedo ser tan burra? Camino a cuatro patas, como un perro, y me detengo a cogerlo de nuevo. Entonces, me quedo sin aliento. Se ha encendido una rayita. No me muevo y me la quedo mirando, como si fuera un espejismo. Tengo conexión. Muy poca, pero la tengo. Y no me atrevo a acercar la mano por miedo a perderla. ¿Qué hago? ¿Llamo? ¿Y si en el momento que llamo él llega? ¿Y si lo ha hecho aposta y me quiere probar? Si me sale mal, puedo perder lo poco que tengo. Y todos los recuerdos que creía arrinconados vuelven de golpe y se me echan encima, con alevosía, como fantasmas furiosos. Y yo, paralizada ante el móvil, sin decidirme, a punto de perder lo poco que tengo, contemplando hipnotizada esa raya de comunicación con el mundo, una raya que parpadea y que me trae la ilusión y se la lleva con intermitencias. ¿A quién llamo?

Y otra vez pienso en Eva. Es la única de quien recuerdo el teléfono, la persona que se me aparece como una esperanza remota. No tendría que ver a mi familia, no tendría que declarar ante la policía. Huiría sola y me iría a algún lugar donde nadie me conociese. Eva sería discreta, una buena amiga, y me ayudaría. Querría decirle dónde estoy, querría llorar en su hombro y pedirle que me sacara de aquí, que se me llevase bien lejos. Pero me detengo. Una vez, sólo una, me amenazó. Si huyes mataré a la familia, soltó. ¿Sería capaz de hacerlo? Probablemente sí. Está loco. Es un loco peligroso. O quizás no, quizás es el único capaz de amarme. ¿Quién más podría aceptarme tal como soy? Él me conoce de verdad, sabe quién soy en realidad. No sé qué hacer. Me ha dejado la compra. Me ha dejado agua y ropa, como hace siempre, siguiendo la rutina de los últimos cuatro años que sólo se ha roto una vez.

Un día, ahora hará un año, llegó con una bolsa y me anunció que se quedaría una semana para celebrar mi decimoctavo cumpleaños. Me trajo una sorpresa. Un vestido de verano sin mangas estampado de flores negras y violetas con una lazada en la espalda. Me extrañó que se atase bajo el pecho y él me aclaró que estaba de moda y que me lo pusiera, que era mi talla seguro. Cuando sonreía y me miraba con devoción sentía un cosquilleo parecido a la felicidad. Sabía que si yo no lo estropeaba todo iría como una seda y fui obediente. Me invitó a subir a la casa y a cenar con él en la mesa. Me dejó usar el baño, mirarme en el espejo, embobarme con todos los utensilios de los cajones, meterme en la bañera durante horas y ver la televisión. Una noche me permitió que saliera al exterior. Caminamos a oscuras por caminos solitarios, oyendo el canto de las chicharras y mirando el cielo estrellado, repleto de estrellas. Me agarraba la mano fuerte, pero yo no quería huir. Esa semana olí el aroma de los pinos calentados por el sol, pisé la tierra con los pies desnudos y sentí el aliento de la brisa del sur en mi cabello.

Hay gente, me dije, que no ha probado jamás estas migajas de felicidad. Me sentí afortunada y le agradecí el gesto. No me había dado cuenta nunca del valor de un paseo, de la delicia del aire cálido de la noche veraniega, del placer de un baño o del gusto de sentarse a la mesa comiendo una tortilla de patatas. Cuando todo esto se tiene a manos llenas, no se aprecia. Y a pesar de mi relativa felicidad yo estaba impaciente por ver el sol. Tres años sin ver el sol. Sólo intuyéndolo por la rendija del techo. Le supliqué, lloré y juré que no escaparía, pero que quería volver a sentir el sol en la piel. Finalmente accedió y una madrugada abrió la puerta, me hizo subir al coche, me ofreció un sombrero, unas gafas y me dijo: Anda, vamos. Fue un instante, una impresión pasajera. Lo vi salir de detrás de las montañas, dejé que me lamiera los brazos y que me acariciase la cara. Grité de alegría y cerré los ojos para impregnarme de su luz y su energía. El calor de ese sol huidizo me acompañó durante semanas y meses. Si pudiera ver el sol como aquella mañana resplandeciente. Si pudiera hablar con Eva aunque fuera una vez. Si pudiera oírla reír, escucharla gritar me meo, me meo de risa. Sólo eso. Un soplo de aire fresco, un rayo de sol y basta.

Acerco la mano decidida y sin mover el aparato marco el número de Eva. Que esté en casa, suplico, que se ponga, pido sin saber si lo pienso o lo digo. Y de repente se oye una voz. ¿Sí?... ¿Hola?... ¿Diga?... Es Eva. ¿Eva? ¡Eva! ¡Soy yo, Bárbara!, grito. ¡Soy yo! ¡Ayúdame! ¿Bárbara?, pregunta Eva asustada. ¿Bárbara? ¿Dónde estás? Y sin poderme reprimir cojo el móvil del suelo y me lo pongo en la oreja en un gesto instintivo. ¡Sácame de aquí! Pero ya no se oye nada desde el otro lado. ¡No, no puede ser! Se ha cortado la conexión. La rayita ha desaparecido del todo. He vuelto a perder la cobertura.

Intento desesperadamente dejarlo donde estaba, pero no detecta la señal. Repito el gesto una vez, y otra y otra. Me tiemblan las manos y me ahogo. Quiero llorar pero ya no sé. ¡No ha servido de nada! ¡No le he podido decir dónde estoy, no le he podido pedir auxilio! ¿Y ahora qué? Y lo imagino a Él abriendo la puerta con los ojos entornados y amenazantes, dos grietas cargadas de odio que lo saben todo, que lo ven todo, que me juzgan por todo. Quizás ya lo sabe. Y me matará.

Y me doy cuenta de mi error. He abierto la caja de Pandora.

6. Eva Carrasco

Eva se ha quedado con el teléfono en la mano, idiotizada, incapaz de reaccionar. Ha oído a Bárbara. Era la voz de Bárbara. Le ha dicho soy Bárbara. Pero no puede ser, lo ha soñado. Bárbara está muerta desde hace cuatro años. Sin embargo era ella, está segura. Ha reconocido su grito, su suspiro, el tono impostado que usaba al decir ¿Eva? Casi no le ha dicho nada, sólo ha gritado ayúdame. En seguida se ha cortado la comunicación y el aparato ha enmudecido. Cuelga esperando que Bárbara vuelva a llamar, pero no pasa nada. Entonces decide comprobar si la llamada ha existido o la ha imaginado. Sí, está, hace dos minutos. Ha quedado el número grabado. Es un móvil. Se lo apunta y llama, pero salta el contestador de voz neutra y le informa de que el móvil al que llama está apagado o fuera de cobertura. Se sienta y piensa. O trata de pensar, pero los pensamientos suben y bajan, hacen eses y acaban por marearla. Eva, agobiada, piensa que es muy fuerte asimilar que acaba de recibir la llamada de una muerta. Debe recolocar a Bárbara en el mundo de los vivos y no es fácil. Su padre, la policía, los amigos, la familia, todos la consideran muerta. Sólo la madre ha esperado inútilmente todo este tiempo que apareciera. Es la única, por eso ha enloquecido. Ahora debe de tener diecinueve años, como ella. Y si está viva, ¿dónde está? ¿Por qué le ha pedido ayuda? ¿Por qué desapareció? ¿Por qué no volvió nunca? ¿Por qué no dijo nada? ¿Por qué hizo sufrir a la familia y a los amigos?

Mira el reloj. Son las tres y tiene clase de inglés a las cinco. Estaba terminando de hacer los *homework* y aún le quedan dos ejercicios. Se revuelve en la silla sin saber qué hacer. Está sola y le cuesta pensar.

Parecía asustada. Gritaba. La llamada debe de ser importante, quizás decisiva. Intenta ser racional y ordenar sus recuerdos. Antes de desaparecer llamó a su madre y encontraron la cabina de teléfono salpicada de sangre, su bolso en el suelo, y nunca más se supo nada. Siente un escalofrío al recordarlo. La sangre la marea. En la escuela decían que la habían cortado a pedacitos. Hernández, un bestia, llevó una fotografía muy *gore* de una chica despedazada y por su culpa tuvo pesadillas muchas noches. La visitaba Bárbara sin un brazo, sin una pierna, chorreando sangre, y le decía: Querías que desapareciera, ¿verdad? Te has salido con la tuya. Se despertaba empapada en sudor y chillando. El policía que metió las narices en su vida casi lo adivinó. Le hacía preguntas muy desagradables, la escudriñó como si fuera ella quien le hubiera clavado un cuchillo a su amiga y la hubiera asesinado. Os peleasteis, ¿no?, le soltó de golpe una tarde. Fue la segunda o la tercera tarde de interrogatorios. Y tuvo que admitir que sí, que se pelearon, pero que ella no le había hecho nada a Bárbara. El policía no fue amable en ningún momento.

60

No le dijo lo siento, sé que era tu mejor amiga y es una jugarreta que haya desaparecido porque tendrás que arrastrar tu mala conciencia el resto de tu vida. En lugar de eso daba a entender que ella era cómplice de la desaparición y que estaba delinquiendo por callar. Salvador Lozano se llamaba. Un amargado. Eva se desgañitó explicándole que Bárbara y ella habían sido uña y carne, pero él, tozudo, tiró a matar y acertó. Fue por culpa de Martín Borrás, ¿verdad? ¿Quién demonios se había chivado? Hubiera querido estrangular a Carmen, seguro que había sido Carmen. ¿Era idiota o qué? ¿Quería que la encerraran en la cárcel? Porque si buscaban motivos para deshacerse de Bárbara ella tenía el móvil perfecto. Sí. Ella quería que Bárbara desapareciera y le dejara el camino libre con Martín. Porque Bárbara, su mejor amiga, se enrolló con el chico que le gustaba. A pesar de saberlo, o a lo mejor por eso. Todavía se le revuelven las tripas cuando lo recuerda. Pero todo forma parte de un tiempo tumultuoso, caótico, de cuando se tapaba la cabeza con la almohada por las noches y deseaba que a Bárbara se la tragara la tierra. Un deseo expresado en silencio que se hizo realidad y que no saldrá de su boca. Nadie sabrá nunca que deseó la desaparición de Bárbara. Y nadie sabrá tampoco que finalmente acabó en la cama de Martín Borrás. Se estremece. Fue un error. Una estúpida espinita que tenía clavada y que se quiso quitar, pero que puso más sal en la herida. Guarda un cierto mal sabor de boca y la sensación de que estuvo en el lugar incorrecto con la persona equivocada. Fue una pataleta, una chiquillada de adolescente contrariada. Martín

Borrás había sido su primer amor y Bárbara se lo había robado. Fue su primer fracaso sentimental. Pero en lugar de comérselo con patatas rompió con su mejor amiga, deseó que desapareciera y una vez cumplido su tenebroso deseo ensució su memoria enrollándose vengativamente con Martín Borrás. Fue una mala idea, pero la cogió desprevenida, tierna, y no supo decir que no. Él se la ligó por interés, le ha dado muchas vueltas y está completamente segura. Quería cerrarle la boca, quería ganársela como fuera. La sedujo y ella cayó de cuatro patas, como una tonta. Se le revuelve el estómago cuando recuerda el tufo de aquella casa tan pija de Rosas que apestaba a basura. Ráfagas de impresiones fugaces. El rojo intenso de la habitación de Martín decorada con luces intermitentes y un colchón de agua que había birlado a su padre. La música de Duffy, el sabor áspero de sus copas y sus caricias mentirosas. Y ella enamoradísima, colgada de aquel canalla, tragándose sus palabras que empalagaban de tan dulces, convencida de que estaba loco por ella. ¿Cómo fue tan ciega? No te creerás que le hice algo a Bárbara... Y recuerda que ella, en un momento determinado, transmitió inquietud porque le pasó por la cabeza que quizás sí que Martín tenía algo que ver. Durante unos instantes tuvo miedo de morir desangrada. Y a lo mejor fue ese pequeño cambio de actitud, que se tradujo en un temblor de labios y en un parpadeo forzado, lo que rompió el encanto y lo que provocó el incidente de la bodega. Un mal rollo que Martín trató de arreglar poco después. Pero la desconfianza ya se había instalado en medio de ambos. Y sobre todo la vergonzosa deslealtad

62

hacia la amiga desaparecida que se agravó a la vuelta cuando, dentro del coche, él despotricó contra Bárbara, poniéndola a caldo, diciendo que era una mala pécora y una calientabraguetas y le arrancó la promesa de que no lo implicaría. Y ella aceptó y fue, si cabe, más mala pécora que la pobre Bárbara.

Salvador Lozano, sin embargo, se merecía que lo engañara, la trató como a una culpable. Quería saber si se habían peleado, si tenía cuentas pendientes con Bárbara, si había habido algún mal rollo entre ellas. Y le respondió que sí, que habían discutido, pero no por culpa de Martín Borrás, sino por culpa de Jesús, el profesor de historia. ¿Qué dices? ¿Por qué? Había saltado en seguida Lozano. Bingo, pensó, y charló por los codos vaciando el buche de todas las afrentas que había ido apuntando escrupulosamente a lo largo del curso y que se había guardado muy adentro, con rencor. Le dijo que Bárbara estaba colgada de Jesús, que era la pura verdad, que coqueteaba con él, que también era verdad, que él la sobaba medio en broma, medio en serio, que era una verdad tangible, y que a veces quedaban a solas, de tapadillo, que era una verdad que sólo sabía ella de boca de Bárbara. Dijo medias verdades envenenadas y nunca creyó que su palabra de adolescente pudiera tener un peso tan decisivo en la vida de alguien. Lo hundió en la miseria. Pero no se arrepiente de nada.

Eva nunca fue de la peña de Jesús. No sabe a ciencia cierta si es que Jesús no la invitó a formar parte o si ella se alejó voluntariamente porque le daban ganas de vomitar. El profesorcillo sabiondo citando fuera de horas de clase a las niñas bonitas. El grupo de incondicionales de Jesús haciéndole la rosca, riéndole las gracias y jugando a intelectuales. Comentaban películas que no entendían y fingían leer libros que se les caían de las manos. En clase se peleaban por sus guiños, sus palmaditas inocentes en el trasero y sus piropos. Y Bárbara en medio. El día que le echó el ojo, le dijo ven acá y la fichó de delantera del equipo. Bárbara estuvo colgadísima de ese tonto a quien nadie cantó las cuarenta hasta el día que Pepe Molina, su padre, le rompió la cara. Se alegró un montón. Se lo merecía. Muchos otros padres hubieran tenido que hacerlo antes. Y por suerte, al final, todo salió a la luz, todo se supo. Sin embargo, rápidamente, todo se tapó. Hipócritas. Jesús está libre y no se lo merece. Se merecería estar entre rejas, por pervertido, por manipulador, por pederasta, por asesino de Bárbara, concluye Eva. Esto es lo que siempre había creído. ¿Y ahora qué? Ahora va y resulta que Bárbara está viva. ¿Cómo se come eso? Y quizás ella sea la única persona del mundo que lo sepa. ¿O no? No se puede quitar de la cabeza el grito de Bárbara. ¡Ayúdame! Eso significa que no es libre, que su vida está en peligro, que está amenazada o encerrada. Y se angustia aún más por la responsabilidad que le ha caído encima de golpe. Ella, precisamente ella. La mala amiga. La traidora.

Le da vueltas un rato. Piensa. Admite que se ha querido convencer durante todo este tiempo de que obró bien. Que apuntó en la dirección correcta desviando la atención de Martín hacia Jesús, puesto que fue él quien hizo daño a Bárbara. Pero debe reconocer que no está segura. Sobre todo porque no ha explicado a nadie el incidente de la bodega de la casa de Rosas. Los gritos que le soltó Martín cuando la pilló en la puerta de la bodega, a punto de girar el pomo. De cómo se le encendieron los ojos. De la rabia que tenía dentro. De la mano que se levantó para pegarle y de cómo ella huyó escaleras arriba, muerta de miedo. No se lo contó a nadie porque habría sido pública y notoria su cita y en aquella época este tipo de cosas le importaban mucho. Martín se justificó, más tarde en la habitación, diciendo que podría haberse matado. Que su abuelo resbaló por las escaleras y se partió la crisma y que por eso no quería que bajara nadie. Y se lo quiso creer. Más de una vez ha reflexionado sobre los motivos por los que Martín se enfureció. ¿Qué escondía en la bodega? ¿Qué era lo que no quería que ella viera? Y ahora, la llamada desesperada de Bárbara pidiéndole ayuda ha resucitado el incidente y le ha hecho atar cabos. Quizás..., se dice sin atreverse a elaborar la frase entera. Quizás..., piensa angustiada mientras las manos empiezan a temblarle insistentemente. Eva deja los *homework* de lado y coge el teléfono. En la agenda de encima de la mesita de la sala encuentra sin problemas el número de la extensión del subinspector Lozano. Ya se encargó de hacerle apuntar el número, quieras que no, y de insistir hasta la saciedad en que, sobre todo, si tenía alguna pista sobre Bárbara se pusiera en contacto con él de inmediato. Probablemente fuera un tarado, pero hacía su trabajo y era un hombre serio. Él sabrá lo que hay que hacer en un caso así. Esta vez se lo explicará todo, no le ocultará nada. Se tragará su vergüenza por haberle mentido y por haber estado colgada de Martín Borrás. Ahora es una mujer y puede asumir los errores de cuando era una niña.

Hola, buenos días, titubea, o buenas tardes, ¿podría hablar con el subinspector Lozano por favor? Mira el reloj, son las tres y quince minutos del mediodía, una hora difícil para saber si debe dar los buenos días o las buenas tardes. Los ingleses son más cartesianos. Después de las doce se ha acabado la mañana. Pues en estos momentos está comiendo. ¿De qué se trata? Eva se detiene. No quiere hablar con nadie que no sea Lozano. Es un tema privado, afirma contundente. La voz del otro lado suena más intimidatoria. Dígame su nombre y su teléfono. Eva no responde. Se siente mal. No quiere levantar la liebre. Ahora se arrepiente de haber llamado a la policía. ¿Quién es usted? ¿Su nombre? Se siente como entonces, acusada injustamente, y cuelga jadeando, como si a media ascensión al K2 se hubiera quedado sin oxígeno. Está hecha un manojo de nervios. ¿Y ahora qué?

Pero se levanta y coge la carpeta de inglés, por costumbre, porque le hace compañía y le tapa las tetas, que las tiene demasiado grandes.

Hará lo que cualquiera haría en su caso. Irá a ver a su familia.

7. *Salvador Lozano*

Salvador Lozano se ha metido un palillo a hurtadillas en el bolsillo y se hurga los dientes, a solas en el despacho, mientras espera a Toni Sureda. Le encanta el bacalao, pero luego se arrepiente. Su mujer le regaló un cepillo de dientes plegable, de los que venden en las farmacias y que siempre pierde. Isa, la telefonista, le ha dicho que una chica que no ha querido dar su nombre ha preguntado por él. Comprueba el número en la base de datos y dime quién es, le responde. Está seguro de que si es importante volverá a llamar y acabará por encontrarlo. Que le pregunten si no a Pepe Molina, que no ha tenido problemas en perseguirlo fuera del trabajo y hasta en irlo a buscar al bar donde toma café cada mañana. Si no hubiera sido por el padre de Bárbara, el caso hubiera muerto mucho antes.

Es un caso sin demasiadas esperanzas, suelta desde el principio a Toni Sureda, que se sienta delante de él, atento, como un alumno aplicado, con el bloc de notas y el boli en la mano y una chispa alegre en los ojos negros, muy negros. Ha bebido vino, sospecha Lozano, y ha estado contando chistes verdes en los postres, aventura con osadía creativa.

Vamos allá, suelta mientras saca todos los papeles del expediente y los esparce sobre la mesa. Hace cuatro años, Bárbara Molina, por entonces una chica de quince años, se escapó de casa. Sin motivo, sin razón aparente. El martes veintidós de marzo del 2005 dejó una nota manuscrita. Una nota de adolescente escrita apresuradamente. Bastante tajante, definitiva y trágica. «Me voy, no me busquéis. Bárbara.» Su madre, Nuria Solís, nos llamó al día siguiente tras haber indagado inútilmente en casa de las amigas y los conocidos. El padre, José Molina, era reacio a recurrir a la policía, pero cedió ante la insistencia de su esposa. Una huida voluntaria no es una desaparición, pero se trataba de una menor y no queríamos correr riesgos. Iniciamos la tarea de inmediato y pusimos en marcha los dispositivos habituales de búsqueda, aunque estábamos a las puertas de la Semana Santa. La madre encontró la nota el martes por la mañana y yo me iba de vacaciones el jueves por la tarde. Lo tenía todo reservado y no podía cancelarlo, añade más amigablemente, como una concesión a una supuesta amistad que no existe. Esto no viene a cuento, pero quizás eran las primeras vacaciones que me tomaba con la familia desde hacía muchos años. Ya sabes, nunca descansamos y siempre nos llevamos el trabajo allá donde estemos. Dicho esto, continúa con el relato y retoma el tono neutro y profesional. Al principio no nos pareció un caso difícil, las primeras prospecciones ya nos ofrecían hilos para tirar. Los resultados académicos desastrosos eran sólo la punta del iceberg, debajo se escondía una adolescencia conflictiva sacudida por un desengaño amoroso reciente. Posiblemente vuelva arrepentida al cabo de unos días, pida ayuda a alguna amiga, se ponga en contacto con el novio o sea localizada por los agentes, barrunté con optimismo. Las amigas, sin embargo, no sabían nada. No tenían ni idea de dónde podía haber ido Bárbara. Eso sí, todas apuntaron al mismo chico. La coincidencia era unánime. Martín Borrás, de veintidós años, un monitor de San Grabiel, el Club Excursionista al que pertenecía Bárbara desde hacía tan sólo un año. Salían a la montaña algunos fines de semana y estaban preparando unas colonias para los días de Semana Santa. Se reunían los sábados por la mañana en los locales de la parroquia, en la calle Urgel con Diputación, muy cerca de la casa de Bárbara. Martín, sin embargo, no cuadraba demasiado con los chicos que acostumbraban a hacer de monitores. Tenía un perfil, por así decirlo, más pijo. Estaba estudiando primer curso de ESADE de Dirección de Empresas, por segunda vez, esquiaba, pinchaba en una discoteca esporádicamente y había aprobado a la primera el examen de conducir. Era un chico exitoso, poco estudioso, pero avispado para lo que le interesaba. Guapo, sin ninguna duda. Un tipo presumido, de los que se miran al espejo durante horas antes de poner los pies en la calle. Pantalones caídos con una pose estudiada, extrovertido, bromista y muy sociable. Hablaba dos idiomas extranjeros, había sido escolarizado en tres centros bastante exclusivos, aunque había repetido cuarto de ESO y segundo de Bachillerato.

Lo visité yo mismo el miércoles por la tarde y lo pillé preparando la mochila para la salida del jueves a una casa de colonias en L'Estartit. Estaba solo porque sus padres se habían ido de viaje a Londres. Puedo asegurar que su estupor parecía sincero. No tenía ni idea. Bárbara no le había dicho nada y, además, dejó muy claro que él ya no salía con la chica. Habían roto. ¿Cuándo? La fecha era muy reciente. Ese mismo fin de semana. El sábado día diecinueve, la noche de San José, fue la última vez que la vio y no había sabido nada más. Al querer aclarar los motivos de la ruptura el chico se revolvió nervioso y balbuceó una excusa. Cosas nuestras, adujo. Lo dejamos correr. Desde un principio no encontré oportuno insistir en ello. Además, no puso ninguna pega para que revisáramos su móvil, su Messenger, su *e-mail.* Todo limpio. En el cenicero había restos de porros. Callé y me apunté el dato. Le dejé la consigna de que ante cualquier señal de vida de ella estaba obligado a comunicárnoslo inmediatamente.

Y seguí las pesquisas. La tutora de Bárbara, Remedios Comas, cincuenta y dos años, licenciada en Hispánicas y docente de lengua castellana desde hacía veintinueve años en la Escuela Levante, vino a decir, más o menos, lo que ya sabía. Que era una chica despierta, que había tenido problemas y que había descuidado los estudios. Lo había suspendido todo y quizás se le había caído el mundo encima. Me pareció arisca y seca. Un par de veces la cacé con una vacilación. Medía las respuestas y no se dejaba llevar por la emotividad, algo bastante sorprendente en una tutora que había mantenido un contacto estrecho con Bárbara a lo largo del curso y que supuestamente había

70

conocido los problemas que la habían hecho fracasar académicamente. De paso, como quien no quiere la cosa, solté una pregunta que hago siempre. ¿Sospecha algún otro motivo que pudiera aclarar la huida de Bárbara? Y aquí dudó unos instantes. Llevo bastante tiempo en este trabajo como para saber cuándo las personas son circunspectas, miedosas o encubridoras. Pertenecía al tercer grupo. Se frenó, pero no lo negó categóricamente. No quería implicar a alguien, tal vez le pareciera feo señalar con el índice a algún alumno, algún chico o chica que sería considerado sospechoso de un asunto grave sólo por una vaga intuición. Todos jugamos a detectives, todos elaboramos teorías, todos somos en potencia indagadores de la realidad y deseamos que la realidad sea una fórmula matemática que nos resuelva la ecuación. Quizás Remedios Comas tenía su propia hipótesis. La dejé para una segunda ronda, cuando todo estuviera más claro.

Volví a hablar con los padres e intuí diferencias entre ellos. Arrastraban más de una crisis motivada por la adolescencia de Bárbara. Pepe Molina era un hombre estricto, serio, obsesionado con marcar los horarios y las compañías de su hija, pero debido a su trabajo, representante de joyería, viajaba bastante a menudo y delegaba responsabilidades en su mujer, Nuria Solís, que tenía más manga ancha y hacía de tapadera de las idas y venidas de su hija. Esta diferencia de pareceres ya les había costado más de una discusión.

Tres causas para irse de casa. Conflictos familiares, fracaso escolar y una pelea de enamorados. Se había ido sin blanca. Sólo se llevó consigo una bolsa con cuatro piezas de ropa y un neceser de aseo. En aquellos momentos hubiera puesto la mano en el fuego por que Bárbara regresaría al cabo de una semana con el rabo entre las piernas si antes no la localizaba una patrulla durmiendo por las calles. Hice las maletas después de distribuir sus fotografías y dejar un buen equipo a cargo del caso. El sargento Maldonado se quedó de guardia y el jueves por la tarde conduje hacia La Manga del Mar Menor, el sueño de mi mujer. Sin embargo, una llamada del sargento Maldonado me sacó de la cama el viernes día veinticinco a las seis quince de la mañana. Todo se había precipitado en pocas horas y el caso se había complicado mucho. Me hizo un resumen rápido. La madre de Bárbara les había alertado sobre las dos de la madrugada. La noche antes, ella y su marido habían echado en falta una tarjeta suya de la Caja de Pensiones. Habían supuesto, muy acertadamente, que se la había llevado Bárbara, habían hecho averiguaciones de las extracciones y habían comprobado a través de Internet que en efecto alguien había sacado dinero en la estación de Sants el martes y en Bilbao el mismo jueves. La hermana de Nuria Solís, Elisabeth Solís, vivía en Bilbao y Bárbara tenía muy buena relación con ella y con su marido, Iñaki Zuloaga. Ya los habían llamado, pero no estaban en casa y no respondían al móvil. Tenían un velero y eran aficionados a la navegación. Posiblemente estaban en alta mar. El piso, pues, estaba vacío y Bárbara, probablemente, deambulaba perdida por Bilbao. Pepe Molina, padre de Bárbara, había cogido el coche, había salido hacia Bilbao y se había apostado frente a la casa de los cuñados. El sargento Maldonado actuó muy correctamente. Se puso en contacto inmediatamente con la Ertzaintza y llamó al padre de Bárbara para que nos tuviera al corriente sobre cualquier pista que pudiera conducir hacia la chica. Parece ser que Pepe Molina salió con un exabrupto diciendo que no necesitaba policía para encontrar a su hija, que era un tema familiar y que en cuanto la pillara se solucionaría todo. Mientras tanto, la Ertzaintza había hecho prospecciones con los vecinos del bloque de pisos donde residían los Zuloaga y habían tenido suerte. Unas hermanas solteras y entradas en años que vivían en el segundo segunda, el mismo rellano que el matrimonio Zuloaga, declararon que Bárbara había estado llamando insistentemente al piso de sus tíos hacia la una del mediodía del jueves. La conocían de otras veces. Le explicaron que la pareja estaba fuera y la chica se puso a llorar. La hicieron entrar, le ofrecieron unas alubias y un asado y ella aceptó hambrienta y les confesó que había viajado sola para dar una sorpresa a sus tíos, pero que no sabía cómo localizarlos. No quiso quedarse en su casa. Juró y perjuró que tenía billete de autobús de regreso y se fue. Nunca más se supo nada.

El padre llegó de madrugada y estuvo pululando por los bares de la zona. Lo recordaban preguntando por la chica. Finalmente, a las cinco y cuarenta cinco minutos de la mañana, mientras el padre estaba en Bilbao apostado frente al piso y la policía la buscaba por las calles de la ciudad portuaria, Bárbara llamaba sorpresivamente al teléfono de su casa desde Lérida. Una sola llamada a la madre pidiéndole ayuda y gritando. La llamada fue bruscamente interrumpida. Desde la central la localizaron rápidamente, se había hecho desde una cabina de Lérida ciudad, cerca del Segre. Al cabo de diez minutos, encontraron la cabina llena de sangre con su bolso en el suelo. En el bolso estaba toda la documentación de Bárbara, pero faltaba su móvil. Ningún testigo. Ninguna pista.

A partir de ahí el misterio más absoluto.

Salvador Lozano se sirve un vaso de agua. Todavía tiene la boca seca cuando revive aquellos momentos. Da un sorbo y continúa. Al final tuve que suspender las vacaciones definitivamente. El instinto me decía que el caso era muy grave y que requería mi presencia. Y así fue. Esperamos inútilmente una llamada, un aviso, un testigo. Investigamos detenidamente las huellas y los restos dejados en la cabina. Fue en vano. Pepe Molina, de vuelta en Barcelona, estaba hecho un manojo de nervios y me incordiaba continuamente. Quería que actuáramos, que detuviéramos a gente, que encontráramos a su hija. Tuve que pararle los pies porque empezó a despotricar contra la policía en los medios de comunicación. Era comprensible. El hombre estaba exaltado. Y mientras la madre se achicaba y se hundía, el padre orquestaba campañas de carteles y manifestaciones que dieron revuelo al caso y dificultaron la investigación. Un hombre capaz de ir a buscar a su hija al fin del mundo y convocar ruedas de prensa también es capaz de tomarse la justicia por su mano. Semanas después le hizo una cara nueva al profesor de historia, Jesús López, sobre el que, de rebote, recayeron las sospechas. Pero me estoy adelantando.

74

Reinicié la investigación en sesiones maratonianas con los padres, las amigas y los familiares más cercanos. Tenía que registrar bien su entorno y apreté los tornillos a la madre, probablemente la persona que sabía más cosas de Bárbara y quien, tal vez, había ocultado más secretos. Y así fue. En un interrogatorio a solas Nuria Solís se desmoronó y confesó que tres meses antes de la desaparición descubrió golpes y cortes en los brazos y piernas de su hija. Fue casualidad que entrara en el baño y la encontrara desnuda secándose con la toalla al salir de la ducha porque, puntualizó, Bárbara siempre cerraba la puerta. Esa vez, al verla, se horrorizó. Bárbara le mintió diciendo que se había caído con la moto de una amiga y que no quería asustarla. Lo que le pareció más extraño de todo ello fueron los cortes en los antebrazos. En un lugar invisible, pero íntimo y doloroso. Nuria Solís era enfermera y sabía perfectamente que este tipo de heridas son a menudo autolesiones. La puso contra la pared, pero Bárbara lo negó todo. Negó que nadie le hiciera daño y negó también que ella misma se hubiera hecho los cortes. Se agarró a la versión de la caída de la moto y Nuria Solís calló por miedo del marido y de su reacción excesiva. Había, pues, alguien que había violentado a Bárbara antes de su huida. Quizás su novio, quizás alguien que no conocíamos. Eva Carrasco, la amiga, se quedó asombrada, no sabía nada. Los hermanos, de sólo diez añitos, estaban abrumados por la situación y nos ayudaron muy poco. La cuñada, Elisabeth Solís, y su marido, Iñaki Zuloaga, en cambio, conocían mucho a Bárbara y estaban afectados por el hecho de que no los hubiera encontrado cuando más los necesitaba. Eran jóvenes, entonces treinta y seis y treinta y nueve años, y optimistas, y a pesar de su amargura hicieron el retrato de una Bárbara más complaciente, más amorosa, menos díscola que la que nos llegaba por vía de sus padres. Evidentemente, era el tipo de pareja abierta, liberal y cariñosa que una sobrina iría a buscar en caso de problemas. Pero, precisamente por la lejanía, poco más pudieron aportar al caso, exceptuando, por supuesto, un soplo de aire fresco que siempre resulta de agradecer.

Perdona, interrumpe Sureda interesado en ese dato. Has dicho que los tíos de Bárbara no estaban en su casa y que no tenían cobertura en el móvil. ¿Dónde estaban? De camino a las islas Cíes de cabotaje por el Cantábrico. En cuanto se enteraron de la desaparición dieron media vuelta y volvieron. Sureda lo vuelve a interrumpir. ¿Quién los avisó y cómo? Lozano se rasca la cabeza. Evidentemente, es un dato que en aquellos momentos, en medio del embrollo, encontró intrascendente. No sé, supongo que les debió de telefonear Nuria Solís. Elisabeth es su única familia. Sureda no se da por vencido: No lo entiendo. Si no tenían cobertura en el móvil o lo tenían apagado, ¿cómo pudieron avisarlos? Lozano admite que tiene razón. Que todas las fisuras pueden convertirse en grietas y que ese dato sobre quién avisó a quién y cómo, no lo consideró relevante en su momento. Perdona, perdona, me he adelantado, continúa, por favor, se disculpa Sureda azorado porque en realidad ignora quiénes son estos familiares de Bárbara. Lozano retoma el hilo con alguna vacilación.

76

Bárbara había pasado largas temporadas en su compañía cuando era más pequeña. Adoraba a su tío Iñaki, que le enseñó a nadar y a navegar. Iñaki Zuloaga era biólogo investigador marino y trabajaba en la Universidad de Deusto. Tenía una trayectoria impecable. Había sido *postdoc* durante tres años en Londres investigando en el Natural History Museum. Allí había conocido a Elisabeth Solís, que se encontraba trabajando como lectora de español en la Bloomsbury School. Volvieron juntos a España cuando Iñaki consiguió una beca Ramón y Cajal en Bilbao. Se casaron y Elisabeth en seguida encontró trabajo como profesora de lengua inglesa en un instituto de Secundaria. Zuloaga, un hombre viajado, cosmopolita y brillante, con dos portadas en la revista *Science,* era ante todo un tipo cariñoso. Él y Elisabeth no tenían hijos y Bárbara fue su juguete desde los cuatro hasta los trece años. Lozano se detiene y mira fijamente a Sureda. Ese último dato me intrigaba. ¿Por qué se habían distanciado los tíos y la sobrina? Al preguntar por qué no había ido los últimos veranos me di cuenta de que las relaciones con Pepe Molina eran tensas. Iñaki Zuloaga, discretamente, me dio a entender que había sido una decisión del padre que no volviera. Tiré de este hilo hasta donde pude y no saqué nada en claro. ¿Sólo eran diferencias de criterio en la concepción del mundo y de la educación? ¿O había algo más? Pepe Molina tildaba al cuñado de *snob* irresponsable y creía que no era un buen ejemplo para su hija. No lo sabía a ciencia cierta, pero le acusaba de beber y permitir que Bárbara aprendiera cosas impropias para su edad. Se refería a salidas nocturnas con el velero en busca de crustáceos marinos y encuentros y fiestas con sus amigos, profesores universitarios. Nuria Solís dijo simplemente que Bárbara se había obnubilado con el estilo de vida de sus tíos y que decidieron que tenía que vivir en su propio mundo, con gente de su edad y bajo el control de los padres. Fuera cual fuera la razón, de sus declaraciones quedaba patente que el matrimonio Zuloaga la quería de verdad. O al menos, lo parecía. Ya sabes, añade, en nuestro trabajo no podemos dar por sentado nada. Todos, hasta que no se demuestre lo contrario, son sospechosos. Y otra vez volví al principal sospechoso. Al chico con quien salía. Ese Martín Borrás que interrogué un día antes de su definitiva desaparición. Habían aparecido huellas suyas en el bolso de Bárbara, pero ninguna en la cabina de teléfono. A la pregunta de dónde estaba el viernes a las cinco cuarenta y cinco de la mañana Martín Borrás no contestó al momento. De colonias, nos dijo finalmente. Según él había salido el jueves por la mañana hacia L'Estartit y estuvo hasta el domingo por la mañana. Los padres lo corroboraron a su regreso porque acababan de llegar de Londres. Pero al interrogar a sus compañeros del Club confirmaron que mentía. Martín Borrás sí que salió de excursión con todo el grupo, pero hizo como otras veces, que solía desaparecer de noche con la moto y aparecía muy de mañana, como si no hubiera pasado nada. El jueves por la noche dijo que se iba de fiesta y se marchó de la casa de colonias hacia las diez. Apareció el viernes por la mañana a eso de las once y media con signos de haber bebido y bastante sucio. Nadie, sin embargo, vio restos de sangre en su

78

ropa, estaba arrugada y manchada, pero no de sangre. Desgraciadamente, no pudimos comprobarlo porque la ropa que llevaba puesta aquella noche ya había pasado por la lavadora. La coartada era débil. Según él, después de un larguísimo interrogatorio, especificó que estuvo en el Razzmatazz, una sala muy conocida de Barcelona, en la fiesta de unos amigos. Allí bailó hasta las dos o las tres de la madrugada y luego fue a dormir la mona a su casa. De madrugada condujo de nuevo hasta L'Estartit. ¿Testigos?, pregunta Sureda. Lozano frunce el ceño. Sí. Dos chicas que bailaron con él y un amigo que le invitó a dos copas. Los testigos llegaban hasta la una de la madrugada. Después, nadie lo vio más. Sureda levanta la cabeza repentinamente. ¿Qué moto tenía? Una Yamaha 750. Sureda suelta un silbido dando a entender que sabe de motos. Puede llegar a los doscientos kilómetros. Eso significa que podía haber hecho el recorrido Gerona-Bilbao en seis horas y el de Bilbao-Lérida en tres horas, que suman... Lozano lo interrumpe. Más de nueve horas, eso suponiendo que no se detuviera ni cinco minutos y que hubiera quedado a una hora muy precisa con Bárbara en un sitio. Ya hicimos el cálculo y es imposible. La llamada de Bárbara desde Lérida fue a las cinco cuarenta y cinco de la mañana y Martín Borrás, aunque sus testimonios de la fiesta hubieran mentido, no podría haber estado en Lérida hasta las once de la mañana. Si los testigos decían la verdad era totalmente impensable. Sureda chasquea la lengua. ¿Y si se encontraron en Lérida?, deja caer de repente. ¿Cómo?, exclama Lozano desconcertado. Pues quedando, una cita de última hora de Bárbara. Bárbara tuvo todo el jueves por la tarde para viajar de mil maneras, hay muchas combinaciones. Un momento, un momento, lo frena Lozano. ¿Y cómo se comunicaron? Martín no tenía ninguna llamada del teléfono de Bárbara. Sureda, entonces, suelta una hipótesis arriesgada. Tal vez Bárbara tuviera dos móviles. Lozano se queda patitieso. ¿Por qué? Pues para escaquearse de la familia, responde sin vacilación Sureda. Una chavala que planifica una huida, que miente y que está sometida a un control paterno se las ingenia para comunicarse con quien tiene prohibido sin que los padres lo sepan. ¿Cómo se lo monta un marido cuando sabe que su mujer le revisa el móvil? Se compra otro de tarjeta, lo esconde y sólo tiene el número alguna persona muy especial. El subinspector Lozano no responde inmediatamente. Se ha quedado noqueado. Otro móvil es una posibilidad que no contemplaron. Un móvil fantasma, inexistente, para llamar sólo a determinados números. Un móvil que sus receptores quizás tenían registrado con otro nombre, para seguir el juego del encubrimiento. De entrada le parece una idea rebuscada, propia de una mente rebuscada, pero pronto se da cuenta de que no lo es tanto. Si fuera así, muchas de las prospecciones que han hecho a través de la línea de telefonía móvil tendrían agujeros.

Intenta reordenar los pensamientos que Sureda le ha dejado caer desordenados. A ver. ¿Me estás diciendo que quizás Bárbara sí que llamó a Martín Borrás a su móvil, que Martín condujo dos horas con la moto hasta Lérida y que allí se encontró con Bárbara? ¿Por qué no?, aventura Sureda. Se trata de plantear las cosas de forma diferente y cambiar la lista de sospechosos. ¿Quién podría haberse encontrado directamente con Bárbara a las cinco cuarenta y cinco de la madrugada en Lérida? Lozano sabe que tiene razón y se aviene a su juego. De acuerdo, dice, repentinamente animado. Imaginemos que es cierto. Que Bárbara se ha desplazado a Lérida por su cuenta y que telefonea a Martín, su ex noviete, para que la vaya a buscar para reconciliarse. Recordemos que han roto no hace ni una semana. Entonces estalla el incidente. Celos, intento de violación o violencia, un incidente que se arrastra desde el sábado por la noche. Bárbara huye y encuentra una cabina, mientras está llamando Martín la intercepta, la hiere y se la lleva hasta donde ha dejado el vehículo. Tiene moto, recordémoslo. ¿Dónde se la lleva con la moto? ¿A un descampado? ¿A Barcelona? ¿A la casa de Rosas? Sureda hace una observación interesante. Rosas está junto a L'Estartit y has dicho que sus padres estaban en Londres. Efectivamente, admite Lozano cauto. Supongamos que sí, que se la lleva a Rosas para esconderla o para tirársela. Un lugar recurrente donde siempre lleva a las chicas. Y allí es donde tiene lugar el crimen. Por la mañana Martín llega al campamento a las once y media como si no hubiera pasado nada. Evidentemente, no ha dormido en toda la noche.

Se quedan callados los dos, un instante, impactados por la posibilidad de que fuera tal y como lo han planteado de una manera intuitivamente natural, que es la manera como fluyen las ideas. Y Lozano, sin que Sureda diga esta boca es mía, descuelga el teléfono y llama. Aún tiene potestad para dar órdenes sobre el caso. ¿Lladó? Soy Lozano. Estoy revisando el caso de Bárbara Molina con Sureda. Quiero una orden judicial para registrar la casa de Rosas de Martín Borrás. Envía una patrulla para buscar restos de un cuerpo. Ya sabéis, jardín, trastero, bodega. Informadme en seguida. Cuelga resuelto y mira fijamente a Sureda. Ya no lo ve inexperto. Joven tal vez, pero un joven es un soplo de aires nuevos para el caso.

¿Por dónde iba?, dice distraído. Ah sí, se responde él mismo. Por las investigaciones en torno a Martín Borrás. Le pinchamos los teléfonos y estuvimos registrando las llamadas realizadas durante los días que precedían a la desaparición. No quedaba constancia de ninguna llamada de Bárbara. Le invitamos a un interrogatorio en compañía de la mejor amiga de Bárbara, Eva Carrasco, puesto que ambos se conocían y según rumores fiables Eva había flirteado con él antes de que Bárbara apareciera en el Club y se lo camelase. Su comportamiento fue bastante sospechoso. En la sala de espera Eva manifestó abiertamente su inquietud y su desconfianza hacia la policía. Pero Martín la hizo callar al señalarle con la mano un posible micrófono. No sabía que su espera simulada estaba siendo filmada. Su comportamiento era impostado y a todas, todas, encubría más cosas. Al aparecer el agente para llevarlos al despacho, Martín Borrás simuló una preocupación que no expresaba ni mucho menos cinco minutos antes, cuando estaba a solas con Eva. El interrogatorio no fue muy jugoso. Eva estaba a la defensiva y Martín callaba. Los encaró. ¿Qué problemas personales tenía

Bárbara? Ambos tiraban pelotas fuera y no se involucraban. Hablaron del padre estricto que la controlaba, del tío maravilloso a quien no le dejaban ver, del profesor de historia que la deslumbraba con los museos y el cine, de sus malas notas y del tiempo que la madre dedicaba a los hermanos pequeños de los que, decían, estaba celosa. Pero ya teníamos los indicios de culpabilidad de Martín Borrás que buscábamos. Por supuesto necesitaba algo más y lo encontré. Al registrar su expediente clínico descubrí un ingreso en psiquiatría en la Clínica Teknon de Barcelona. Un brote psicótico a la edad de diecisiete años durante el cual agredió a un compañero de clase y amenazó con matar a su madre con unas tijeras. Los padres lo llevaron con la máxima discreción, pero yo lo había encontrado. Desequilibrio mental, violencia y sobre todo falsedad testimonial que encubría indicios de culpabilidad. Me arriesgué y lo detuvimos. Los interrogatorios, entonces, fueron más duros e inquisitivos aunque no sacamos nada en claro. No se contradecía, ni se delataba, aunque nos escamoteara información. Estaba seguro de que mentía y conseguimos que se pusiera lo bastante nervioso como para amenazarnos con una denuncia por parte de sus padres. Teníamos poco tiempo. Los padres, efectivamente, ya habían puesto el grito en el cielo y se habían procurado un abogado carísimo que nos tenía a raya. Las amigas lo apuntaban, la madre de Bárbara lo apuntaba y yo sospechaba que la razón inicial de la huida de Bárbara estaba vinculada a la ruptura con Martín y la agresión misteriosa de la noche del sábado. De eso estaba seguro. Finalmente, Martín

Borrás cantó. Fue gracias a la habilidad de Romagosa. Lo conoces, ¿verdad? Es un interrogador cojonudo. Te lo recomiendo en casos difíciles. Romagosa lo llevó hasta un callejón sin salida y Borrás, acorralado, declaró, tal vez ni se dio cuenta cuando lo dijo, que Bárbara se había negado a mantener relaciones sexuales con él. Y a partir de este momento, con una sinceridad apabullante y bastante sangre fría, confesó que no estaba acostumbrado a negativas y que lo intentó tres veces y tres veces Bárbara lo rechazó con excusas diferentes. La última fue la noche del sábado anterior. Romagosa lo puso fácilmente contra las cuerdas preguntándole qué hizo él. Martín Borrás no respondió. El silencio era elocuente. ¿La forzó? ¿La golpeó? ¿La violó? Martín Borrás lo negó todo, pero fue dando detalles. Según él, Bárbara había aceptado de buen grado su invitación para pasar la noche juntos en su piso aprovechando el primer fin de semana de las vacaciones que estaba solo en Barcelona, mientras sus padres volaban hacia Londres. Todo iba bien, habían bebido, habían puesto música y se habían besado. Al comenzar a desnudarse, sin embargo, la situación se complicó porque ella, de repente y sin ningún motivo, comenzó a gritar y a pegarle. Se descontroló. Fue muy desagradable. No, según él, no sucedió nada más. La dejó correr por histérica y se mosqueó, claro. Le lanzó la ropa a la cara y le dijo que se largara. Y no la vio más. Eso ocurrió el fin de semana anterior a su desaparición. El sábado diecinueve de marzo, por San José. Llevaban cuatro meses saliendo y, según Martín Borrás, no había habido contacto sexual completo.

Hacía tres meses también que Bárbara se había distanciado de su amiga Eva. Por lo que pude averiguar, fue a causa del muchacho. Pero no quiero mezclar informaciones. Estábamos en la noche del sábado. Según Martín Borrás, Bárbara se marchó alrededor de la una de la madrugada. Ya en la puerta, hecha un basilisco, le confesó que era virgen y que no se atrevía a jugársela. En aquellos momentos todavía no había entregado las notas a los padres y les había mentido diciendo que ese fin de semana estaba haciendo un curso oficial de monitora. Nuria Solís le había dado permiso, a pesar de sospechar que no era cierto. Nadie sabe dónde pasó el resto de la noche. El caso es que apareció en su casa el domingo por la mañana con la ropa rasgada y sucia. Nuria Solís esa vez no pudo ocultárselo al marido, que se enfadó muy seriamente con Bárbara y le montó un número. Éste es el episodio más oscuro. Bárbara explicó que le habían intentado robar el bolso, aunque sonase a excusa muy poco verosímil. ¿Qué pasó en realidad la noche del sábado? La ropa daba a entender claramente que hubo un intento de violación o, como mínimo, una actitud violenta por parte de alguien. Los botones de la blusa estaban arrancados, al igual que las bragas que llevaba, que pese a que las escondiera y las tirara, su madre las encontró en el cubo de la basura, desgarradas. Sureda silba ruidosamente, conclusivo, como si pudiera leer todos estos signos y llegara a la respuesta milagrosa. Lozano quisiera ser tan optimista como él, pero este agujero del sábado por la noche es uno de los momentos oscuros que nunca aclaró. ¿Quien atacó a Bárbara?, se pregunta en voz alta. Sureda interrumpe. El testimonio de Borrás no se aguanta, fue él. Entonces Lozano le presenta un papel. La declaración de una vecina que coincidió con Bárbara al salir del piso de Martín en Barcelona a la hora que él decía, hacia la una de la madrugada. La vecina, una tal Carolina Vergés, de cincuenta y ocho años, viuda y residente desde hacía treinta y dos años en el mismo vecindario, sacaba al perro a pasear y se la encontró llorando como una Magdalena. La intentó consolar, pero Bárbara no se dejó. Llevaba la ropa sin desgarros y se fue sola. Sureda calla abatido. Ciertamente resulta desconcertante. El subinspector Lozano, tosiendo, saca otro papel de entre un montón y se lo ofrece a Toni Sureda, que ahora ya no toma notas ni interrumpe, sólo escucha. El lunes entregó las notas en casa y se organizó un buen cacao, y el martes desapareció. Lozano sigue sin detenerse. Entre las cosas que nos sorprendieron de las declaraciones de Martín Borrás una fue su rotunda afirmación de que Bárbara no había mantenido relaciones sexuales con él y otra que nunca le había puesto la mano encima. O Martín Borrás mentía o había algún otro implicado. ¿Quien había provocado los golpes y heridas a Bárbara? ¿Por qué tomaba anticonceptivos? Porque Bárbara Molina tomaba anticonceptivos, como mínimo, desde hacía tres meses. ¿Anticonceptivos?, se extraña Sureda. Lozano se alegra del interés de su sustituto. Sí, Bárbara tomaba anticonceptivos, Jasmine, para ser más exactos, los que despachan habitualmente en las farmacias a chicas sin receta. Lo confesó la madre ante el estupor del padre en una sesión bastante desagradable. El matrimonio se peleó delante de mí. El padre era completamente ajeno y acusó a su esposa de ocultarle cosas sobre su hija. Nuria Solís, entonces, se echó a llorar diciendo que no quería crear un problema familiar y que ella le guardó el secreto de mujer a mujer. ¿Una mujer?, estalló el padre. ¿Una mujer de quince años? ¿A qué edad crees que se hacen adultas las chicas? Tú quizás aún no lo eres ni a estas alturas. ¿Le compraste pornografía también para que aprendiese? Fueron unas acusaciones tan desagradables y fuera de lugar que les rogué que aplazásemos la sesión hasta que se tranquilizaran. Se fueron avergonzados e imaginé su discusión en casa. Intuí que la pareja terminaría separándose. Era demasiado gordo para su estabilidad resistir los embates de la desconfianza. La madre se lamentaba del rechazo de su hija. El padre no aceptaba que fuera una mujer. Difícil ecuación para mantenerse unidos en la desgracia.

Pero me equivoqué, como en tantas cosas. Cuando todo parecía claro y diáfano y todo apuntaba en la dirección de Martín Borrás, nos embarrancamos. No íbamos adelante ni atrás. Martín Borrás no se contradecía, no se desmoronaba, los cotejos eran inútiles y no salían nuevas pistas. Sospechábamos que tal vez la familia hubiera destruido alguna prueba, algún indicio, pero tampoco podíamos demostrarlo. Y entonces, cuanto más desanimados estábamos, apareció otro sospechoso que hasta entonces se había mantenido en la sombra. Jesús López. El profesor, ¿verdad?, interviene Sureda.

Lozano llena el vaso de agua otra vez para comenzar con Jesús López, pero en ese preciso momento los interrumpe Dolores. No le mira a él, mira hacia Sureda. Te espera el jefe, quiere hablar contigo. Lozano se revuelve incómodo. Dolores ya no lo tiene en cuenta. El inspector Doménech ya pide directamente por Sureda y él ya no cuenta.

El flamante futuro subinspector Sureda abandona el despacho satisfecho de ser llamado por el inspector jefe.

Lozano se queda solo, mira el reloj y vuelve a hurgarse los dientes con el palillo mientras contempla la fotografía risueña de Bárbara y se pregunta cuándo y cómo se equivocó. Su cabeza, sin embargo, no deja de trabajar y esta vez en direcciones insospechadas. A pesar de que le duela, debe admitir que la sangre joven oxigena los casos oxidados. Sureda le ha dado una buena lección. Debe pensar de forma diferente. Tiene que reenfocar y repetir la fotografía desde otros ángulos, salir de la espiral angustiosa donde ha quedado atrapado a lo largo de estos cuatro años.

8. Bárbara Molina

He oído un ruido. Estoy segura. Conozco perfectamente los ruidos que me acompañan desde hace cuatro años. Las ruedas del coche pisando la grava del jardín, el portazo de la casa, las maderas del suelo al ser pisadas, las tuberías rugiendo, como unas tripas hambrientas. Pocas excepciones, poca compañía. Una abeja que se coló por la puerta, una araña silenciosa que tejía pacientemente su telaraña en una esquina del techo y la rata. De eso hace tiempo, probablemente entró por el desagüe, cuando él me estaba construyendo un inodoro. Aquella noche, mientras dormía, me despertó un ruido insolente de alguien a quien le resbala que los demás lo oigan. Me tapé la cabeza con la manta y escuché, horrorizada, tratando de imaginar qué animal estaba junto a mí, en la oscuridad. Distinguí el rec-rec de unos dientes que roían la madera, la respiración intermitente de un hocico husmeando y el ruido de unas patas removiendo la comida. Estaba paralizada y no me atrevía a moverme ni un milímetro. Pensaba ¿qué hago?, ¿qué hago? Hasta que un estropicio de platos y vasos me hizo reaccionar. Acto seguido, oí claramente el roce escurridizo de un cuerpo arrastrándose por el suelo, un movimiento que se detuvo unos instantes para continuar avanzando hacia mí. Entonces no pude más. Me incorporé de un salto, encendí la luz dando un traspié y me la encontré allí, junto al colchón, a sólo dos palmos de mi nariz. Era una rata de alcantarilla negra, grande como un conejo, que en lugar de huir se quedó mirándome desafiante, inmóvil. Yo y la rata, las dos cara a cara. Y sin embargo, no me dio asco. Era asquerosa, pero no me dio asco. Me pareció peligrosa y punto. Se me erizaron los pelos de los brazos y las piernas y sentí odio. Un odio primitivo, tribal, antiguo. Odiaba a aquel animal desagradable que había invadido mi territorio. Me puse de pie para demostrarle que yo era mucho más alta que ella y calculé de una ojeada la distancia que me separaba de la escoba. Pero quedaba demasiado lejos y la rata me cerraba el paso. Entonces, de un salto, cogí una silla por el respaldo y la amenacé con las cuatro patas. Yo enfrentándome a una rata como un domador de circo, increíble. Cuando lo pienso se me revuelve todo y no me explico de dónde saqué el coraje. La rata no retrocedió ni un milímetro, lanzó un grito, como un conejo antes de morir, y en ese instante me abalancé sobre ella gritando «¡Fuera de aquí, mala bestia!». Ya no la veía como a una rata, ni siquiera recordaba que las ratas mordían y transmitían enfermedades, ni que eran seres repugnantes que antes me daban pánico. Era una enemiga y yo me defendía. Y dicho sea de paso, fue una enemiga heroica y estuvo a mi altura. En aquellos momentos, tras casi ocho meses de reclusión, yo estaba totalmente enloquecida y la rata lo pagó caro. No supo dónde se metía. La acorralé contra la pared con una

90

mala leche insospechada, cogí la escoba y, ciega de rabia, la hice papilla. No sé ni cómo ni cuándo la rata se dio por vencida. Quizás acerté con el golpe mortal a la primera. El caso es que no me daba miedo ni me importaba que me atacase. No me preservaba y la rabia me hacía fuerte, imbatible. Me detuve jadeando mucho después de aceptar que estaba reventada. Seguí pegándole escobazos y gritando como los jugadores de tenis cuando devuelven la pelota. Gritaba para desahogarme y a cada grito me sentía más y más liberada. Entendí cómo se sentía él cuando me pegaba con mala sangre y me insultaba. Me veía como a una rata. Como a la rata que yo había aplastado. Me asusté. Si él no sabía controlarse, un día acabaría por reventarme como había hecho yo con la rata.

Tengo miedo, tengo mucho miedo. Vuelvo a sentir miedo y me he escondido bajo la cama, encogida, recordando el pánico que me producía oír sus pasos, temiendo sus ataques de ira y sus castigos inhumanos. Cuando me privaba de la comida sufría calambres y pinchazos en el estómago, no sabía si de hambre o de angustia. Pero entonces, todavía deseaba huir a toda costa y no me daba por vencida. Traté de escapar una y otra vez. Los ojos se me iban detrás de todas las rendijas y a la primera de cambio me daba media vuelta y apretaba a correr, pero él me pillaba siempre y me castigaba, sin testigos, sin límites, sin medida. Con toda la impunidad, como si yo fuera la rata. Sin embargo se detenía antes de matarme, cuando yo ya no tenía fuerzas para resistirme. Entonces se volvía cariñoso. Le gustaba disponer de mi vida, como un dios caprichoso, perdonármela y devolvérmela poco a poco. Administrarme la salud, el afecto y la comida y retirármelo todo de golpe, cuando le salía de las narices. A veces decidía no hablarme durante semanas. Un buen día no me dirigía la palabra y yo no sabía por qué. Me rompía la cabeza pensando qué había hecho, en qué podía haberlo ofendido y se lo preguntaba, pero él me maltrataba con su silencio, mucho más agresivo que los golpes. Eso me desquiciaba y le suplicaba que me dijera qué había hecho mal, que me hablara, que me gritara. Me di cuenta de que sin palabras los humanos nos convertimos en bestias y perdemos la cordura. Era un castigo inhumano. Prefería que me golpeara, el mal era inmediato, manaba sangre, me salían morados, me crujían los huesos, pero luego él me limpiaba las heridas con alcohol, me aplicaba yodo, me vendaba cuidadosamente y me sonreía. Una vez, incluso me rompió un brazo. Fue sin querer. Me tenía agarrada y yo me revolví con tanta fuerza que lo oí quebrarse, como una caña de río. Él se lamentó sinceramente. Te lo has roto tú, lo has hecho para que me sienta mal, ¿verdad? Eres mala, tú te lo has buscado. Y al día siguiente se presentó acarreando una bolsa repleta de yeso y otra con unas cadenas. Después de enyesarme el brazo torpemente me dijo: «Ya que no te sabes estar quieta te tendré que atar». Me tuvo encadenada una eternidad. Quizás un mes, quizás dos. Se me llagó la espalda porque me tenía que mear encima. Era otra forma de humillarme. Sólo me dejaba levantar para hacer mis necesidades en un cubo una vez al día, o a veces cada dos días. Me dejaba un poco de agua y un plato con comida a mi alcance, pero en más de una ocasión el plato se me escurría de las manos y caía aparatosamente al suelo, desparramando arroz, pollo o sopa, demasiado lejos para que me llegara la mano. Y allí se quedaba, yo muriéndome de hambre y la comida en el suelo, a un metro de mí, pudriéndose ante mis narices. Durante ese tiempo, cuando aparecía por el zulo casi ni me miraba, como si yo fuera un perro encadenado. Trabajaba enfebrecido tapando las grietas por donde a veces se escapaban mis gritos. Recubrió las paredes de corcho y encajó una puerta blindada. Yo lo contemplaba desde el colchón, triplemente prisionera, y me daba cuenta de que mientras iba levantando la barrera que me separaba del mundo yo iba perdiendo la esperanza de volver. Finalmente, me dejó libre. Grita, que nadie te oirá. Intenta salir, no tienes por dónde. No hay puertas, ni ventanas. Pero tenía puños y pies y atacaba cada vez que me ponía la mano encima. Después lloraba de pura desesperación y el llanto me dejaba relajada, tranquila.

Eres como un animalillo, me decía. Un perro salvaje que muerde la mano de quien te da de comer. Pero yo aún tenía sangre en las venas y me esforzaba por ver el sol. En una de esas peleas a vida o muerte me hizo saltar un diente. Ahora tengo un agujero negro y cuando el día de mi decimoctavo cumpleaños subí a la casa, entré al baño y me miré en el espejo, cerré la boca de golpe. Me asusté de mi misma. Parecía un disfraz de Halloween. En el lugar donde había habido un canino sólo quedaba un agujero negro, un hueco vacío y oscuro.

Eso fue al principio, cuando quería huir.

Ahora ya no puedo volver a ninguna parte. Creen que estoy muerta. Mi madre lleva flores a la montaña y las lanza al viento el día de mi cumpleaños, y mis hermanos elevan un globo al cielo con mi nombre. Sé que estoy muerta porque salió publicada una esquela en los periódicos. Él me la restregó por las narices. Lee, lee, estás muerta, bien muerta. Y leí con los ojos desencajados aquella broma macabra.

Bárbara Molina
Fallecida el 25 de marzo de 2005.
De sus padres y hermanos.
Te recordaremos siempre.

Tengo miedo. Mucho miedo. Cuando vuelva sabrá que he hablado con Eva y me matará. No es delito matar a un muerto.

Estoy muerta desde hace cuatro años.

9. Salvador Lozano

El subinspector Sureda se ha sentado ante el antiguo subinspector Lozano. Su cargo ya es oficial. El inspector Doménech acaba de recibirlo y le ha entregado el nombramiento que será efectivo a partir de las doce de la noche. Lozano percibe que está distraído, que a diferencia de hace un rato ahora ya no atiende a sus explicaciones ni comparte su desesperación ni su impotencia ante un caso tan oscuro. Ya no se muestra despierto ni generoso y no le regalará otra intuición gratis. El joven Sureda está pendiente del reto que le espera. De los nuevos casos de otras Bárbaras que desgraciadamente irán goteando uno a uno sobre su mesa y que serán suyos y sólo suyos. Para ellos sí que se quemará las cejas y tendrá insomnio. Al fin y al cabo Bárbara Molina es heredada, una antigualla caducada. Sin embargo, Toni Sureda finge interés. Nos habíamos quedado con Jesús López, le recuerda a su antecesor. Como si se dirigiera a un abuelo que chochea y a quien tuviera que hacer recordatorios constantes, interpreta Lozano enfadado. O a lo mejor es que Lozano, tocado por la inminencia de su jubilación, se ha vuelto demasiado susceptible.

Jesús López siempre había estado presente en todas las declaraciones, pero había quedado eclipsado por Martín Borrás, suelta Salvador Lozano justificando sin ser consciente una investigación desenfocada. Daba clases de Sociales en la Escuela Levante, donde estudiaba Bárbara. La Escuela Levante seguramente te suena, es aquella que hay en la calle Urgel, cerca de la Escuela Industrial. Una fundación concertada laica que imparte hasta el cuarto de ESO. Bárbara iba desde los tres años, con los mismos compañeros. Era una escuela familiar, de una sola línea, donde alumnos y profesores se conocían de siempre. Jesús López, al acabar la licenciatura de Geografía e Historia, había hecho sustituciones en algunos centros de Secundaria, se había presentado dos veces a oposiciones sin aprobarlas, y finalmente había sido contratado en la Escuela Levante cuando tenía veintisiete años, gracias a las recomendaciones del profesor de Física, Manuel Pons, un amigo de su padre. Llevaba pues casi ocho años trabajando. Rubio, pecoso y larguirucho, aparentaba diez años menos de los que tenía. Cultivaba un estilo de activista de Greenpeace desfasado y militaba como intelectual de cine, filosofía y arte. Un profesor joven, cordial y amigable por encima de todo, que casaba perfectamente con el estilo familiar e intimista del centro y que propició la relación entre profesor y alumno fuera de las aulas. Llevaba a los estudiantes al cine, al teatro, a los museos y de visitas culturales. Viajaba cada año a Roma con los alumnos de cuarto de ESO y pasaba una semana en Tarragona con los de tercero de ESO, el curso que estudiaba Bárbara.

96

Algunos viernes por la noche terminaba sus paseos culturales de la última exposición del Macba en algún bar del Raval, rodeado de alumnas brillantes y bonitas. Esto, claro, lo supimos después. En mayo del 2005 Jesús López era un profesor reconocido, apreciado, casado hacía tres años con Laura Ventura, embarazada en aquellos momentos del hijo que no había nacido, y padre de una niña de dos años. Vivía en Les Corts e iba a la Escuela Levante en bici cada mañana.

El primer dedo que le apuntó fue el de Eva, la ex íntima amiga de Bárbara. El segundo, el de Martín Borrás, el ex novio de Bárbara, y el tercero y definitivo fue el testimonio de la tutora de Bárbara, Remedios Comas, a quien fuimos a parar, de nuevo, siguiendo la espiral.

Eva nos puso en alerta al decirnos, sorprendentemente, que su disputa con Bárbara no había sido motivada por Martín Borrás sino por Jesús López. Según la declaración de Eva Carrasco, Bárbara, palabras textuales, le lamía el culo, le reía los chistes y le hacía la ola. Era la favorita del círculo de alumnos que lo rodeaban, estaba secretamente enamorada de él y bailaba al son de la flauta que él tocaba. Le constaba que se veían a menudo, que charlaban mucho y que quedaban a solas. Y acto seguido, vomitó un montón de acusaciones genéricas, fundamentadas o no, contra Jesús López y su comportamiento sospechoso con las alumnas de la Escuela Levante que nos obligó a replanteárnoslo todo desde el principio.

Ya sabes, el escándalo que salió en prensa. Lozano saca una hoja de *La Vanguardia* y otra de *El País* que ya amarillean. «Profesor acusado de pederastia, posible involucrado en el caso de Bárbara». Toma aire. «El padre de la joven desaparecida agrede al profesor imputado en el caso». Repasa otros recortes y escoge uno de *El Periódico*. «Escándalo en las aulas».

Fue sonado. Muy sonado. Fue como un depósito de gas invisible que, a causa de una fuga, nos estallara repentinamente en los morros. Martín Borrás, en declaraciones anteriores, decía que Bárbara siempre lo tenía en la boca, que hablaba a menudo de Jesús López y que tenía una gran influencia sobre ella. Aunque no estaba enterado de posibles citas ni encuentros secretos. Borrás no formaba parte del círculo escolar. Fueron los compañeros de clase los que encendieron la mecha. Después de la declaración de Eva, todos le acusaron. De repente salió a la luz lo que todos sabían y nadie decía, que Jesús López mantenía relaciones extraescolares con alumnas menores de edad. Lo había hecho desde siempre, desde el momento que puso los pies en la escuela. Hacía siete años que salía con grupitos de alumnas, niñas guapas que oscilaban entre los catorce y los dieciséis años. Salidas inocentes, barnizadas de pretensiones culturales. Un Pigmalión hábil y discreto que halagaba su intelecto y que de vez en cuando se permitía bromas y pequeñas intimidades robadas como por casualidad. Una mano amistosa en el muslo, un abrazo cariñoso, un pellizco simpático en la nalga, un mensaje al móvil, una confesión íntima y subida de tono, un café a altas horas de la noche, un paseo a solas. Fueron saliendo y saliendo las confesiones a trompicones. Las chicas lloraban y negaban cualquier

98

malevolencia. Era su héroe, su líder, y las había elegido entre muchas otras. No eran conscientes de ser las más bonitas. Creían, ciertamente, que eran las más listas. Resultó más fácil el interrogatorio de las ex alumnas. La distancia les había permitido radiografiar el comportamiento pueril de Jesús con frialdad. Un imbécil. Un Peter Pan. Un desgraciado. Un inmaduro. Opiniones contundentes, certeras y escalofriantes. Sin embargo, ninguna de ellas le acusó de abusos. Rozaba la indecencia, pero no la traspasaba nunca. Sin pretenderlo habíamos descubierto la punta de un iceberg enorme que flotaba a la deriva, pero a mí sólo me interesaba Bárbara.

La confesión voluntaria de Remedios Comas, al percatarse de la gravedad de los hechos, fue determinante. Otra vez nos sentamos frente a frente. Era una mujer morena y atlética, sin maquillaje ni joyas, vestida con elegancia de mujer madura. Divorciada hacía una veintena de años, había criado tres hijos sola. No tenía pelos en la lengua y fue dura. Si se hubiera decidido a hablar un mes antes, nos habríamos ahorrado un meandro inútil. Remedios Comas me pidió permiso para fumar e hice una excepción. Fuimos a una cafetería, y ante dos cortados, me explicó que era fumadora intermitente y que pronto lo dejaría otra vez. Encendió el cigarrillo con estilo, dio una calada larga y sacó el humo mientras hablaba en tono agrio. Recuerdo perfectamente nuestra conversación palabra por palabra.

Nunca me gustó esa relación de Jesús con las alumnas, dejó caer de buenas a primeras. Los profesores bromeaban, pero yo no. Durante los últimos cuatro años he sido tutora de tercero y he tenido que apagar muchos incendios. Jesús las deslumbraba, las educaba en las exquisiteces decadentes de los intelectuales *snobs* y les hacía creer que entraban por la puerta grande en el mundo de la cultura y las artes. Cierto, les presentaba a Visconti, a Sert o a Picasso, pero jugaba con sus sentimientos. Le gustaba que le admirasen, una satisfacción onanista, infantil, pero le importaba un pimiento si les rompía el corazón. Y es muy fácil romper el corazón de una jovencita de quince años. No sé si sabe, me decía con el cigarrillo en la boca, que se enamoran fácilmente, que son impresionables, frágiles y que, a pesar de sus cuerpos de mujer, ven el mundo con ojos de niña. Son crédulas, trágicas y maximalistas. Su ego oscila como el péndulo de Foucault. Un día se creen divinas y al siguiente quieren suicidarse. Hablaba con resentimiento. Quizás contra sí misma por no haber osado decir públicamente lo que me estaba diciendo en esos momentos. Jesús elegía a su gusto, tenía su corte de concubinas y cada año coronaba a su favorita. A veces su reinado era largo, otras efímero, dependía de cómo soplara el viento. Eso sí, nunca se pillaba los dedos, nunca se pasaba de la raya. Por eso todos consentíamos, le dejábamos que fuera haciendo. Las salidas extraescolares de ese tipo daban pedigrí a la escuela. Nadie está dispuesto en pleno siglo XXI a filosofar sobre el Surrealismo francés con sus alumnos un sábado por la noche. No era peligroso, decíamos para justificarlo, era como un niño travieso que les abría los ojos al mundo. La escultura griega, los románticos alemanes, la pintura cubista, el cine neorrealista. Hasta donde yo sé no hubo ninguna denuncia, añadió. Apagó el cigarrillo contra el cenicero y me miró con una expresión de culpa. Hubiera tenido que explicarle mucho antes lo que le voy a contar ahora, reconoció, pero tuve miedo de abrir la caja de Pandora... Una noche, en la escuela, de esto hará un mes, sorprendí a Jesús López a solas con Bárbara Molina en el seminario del área de Sociales. Calló unos segundos. Lo siento, se disculpó. Sé que ahora estallará el escándalo y que de rebote incluso yo salga perjudicada. No se puede imaginar lo poco que tarda en salpicarse el buen nombre de una escuela. Un rumor es como una mancha de chapapote. Yo la escuchaba con mis cinco sentidos. Era el dato más inquietante que había escuchado en el último mes. Remedios Comas tomó aire y continuó su confesión. Eran las diez de la noche, en la escuela no quedaba ni el personal de limpieza y yo me había olvidado los exámenes que debía corregir durante el fin de semana. No sé si sabe que la parte más desagradecida del trabajo de profesor es la corrección. Así pues, cogí las llaves que sólo tenemos los que formamos parte del equipo directivo y me dirigí hacia la escuela. Me daba igual que fuera un viernes desapacible. Ya estaba acostumbrada. A veces me avisan cuando salta la alarma a media noche y tengo que levantarme a toda prisa e ir hacia allí. Soy quien vive más cerca, a dos manzanas nada más. Esta vez, sin embargo, en seguida me di cuenta de que había alguien. La puerta no estaba cerrada con dos vueltas de llave y la alarma había sido desconectada. Subí con cuidado y oí voces en el segundo piso, donde

101

están los seminarios. Me fui acercando con discreción y vi un resquicio de luz que salía por debajo de la puerta del seminario de Sociales. Me quedé escuchando un rato y oí unos gemidos dentro. Alguien lloraba. Había una chica llorando. Sin pensarlo ni un segundo abrí la puerta y me encontré a Jesús López abrazando a Bárbara Molina hecha un mar de lágrimas. Se cortó en seco. El llanto y las voces. Ambos se me quedaron mirando con los ojos abiertos de par en par, cogidos en falta, asustados. Aunque no sé quién estaba más asustado de los tres. Créame, no es plato de buen gusto pillar a un profesor con una alumna en una situación ambigua. Si tengo que serle franca, no detecté nada sospechoso de ser considerado un encuentro amoroso. Dejando a un lado las horas y el lugar donde se encontraban, ni la ropa, ni la actitud ni el gesto escondían o daban a entender que los hubiera sorprendido en una situación incómoda. Y sin embargo era injustificable. Jesús López reaccionó con rapidez y quiso aclarar los hechos. Bárbara tiene problemas y ha pasado a explicármelos. No era de recibo, como puede comprender, que un profesor se citara de noche con una alumna menor de edad en un edificio completamente vacío. Además, Jesús López no tenía o no debería tener las llaves de la escuela y, en teoría, desconocía el código de la alarma. Me desconcertó, pero no perdí la sangre fría. Muy secamente les rogué que vinieran conmigo para acompañar a Bárbara a su casa. Caminamos por la calle los tres, en silencio, un trecho. Bárbara, en medio, sin rechistar, consciente de que detrás de ella estallaría una tormenta. La dejamos en el portal de su

102

casa y la cité en mi despacho al día siguiente. A continuación fui a un bar con Jesús y allí, una vez solos, se deshizo en explicaciones y disculpas. Estaba perdido, angustiado, nunca lo había visto tan viejo, tan acabado. Le cayeron encima los años que disimulaba con tanta coquetería. Yo tenía claro que debía comunicar el incidente a la dirección y Jesús me rogó que hiciera la vista gorda. Se hundió. Las lágrimas le caían mejillas abajo, como a una criatura, e incluso utilizó como chantaje al hijo que su mujer estaba esperando. Me devolvió las llaves avergonzado. Todo había sido culpa suya, reconoció con humildad para predisponerme a su favor, Bárbara quería hablar y él tenía que quedarse haciendo un trabajo en la escuela hasta tarde. La chica vivía cerca, aducía en su defensa, y la copia de las llaves me la hice por si acaso. Es la primera vez, juraba y perjuraba. No me lo creí porque alguien que dispone de una copia de llaves y que consigue el código de la alarma es un profesional. ¿A cuántas chicas había citado en la escuela antes que a Bárbara?, me preguntaba. Tenía la cabeza a punto de explotar y me fui a casa sin prometer nada. Le dije que tenía que pensar con la cabeza fría. Y tanto que pensé, no pude pegar ojo en toda la noche. Me repetía una y otra vez que tenía que hablar inmediatamente con el equipo directivo a pesar de que condenara a un compañero a la expulsión, a la vergüenza o al divorcio. Pero era un adulto y llevaba demasiado tiempo pisando la raya. Esta vez la había traspasado. La responsabilidad, sin embargo, me pesaba demasiado. ¿Quién era yo para juzgar a nadie? ¿Para ser el desencadenante de una tragedia? Al día siguiente, Bárbara vino a mi despacho temblando, como un cachorrillo asustado. Me apresuré a tranquilizarla y procuré ganarme su confianza. Y aquí Remedios Comas calló. Pero no la tenía ni la he tenido nunca. Bárbara no confiaba en mí, por eso no me explicó nada, ni siquiera cuál era el problema que quería contarle a Jesús. Estuvo llorando todo el rato, suplicando que no dijera nada, repitiendo que no había pasado nada entre Jesús y ella, que simplemente quería explicarle un problema muy personal y que nunca más se repetiría. Me desgañité para hacerle entender que ella no tenía culpa alguna porque era menor de edad, pero Bárbara insistía e insistía y finalmente me amenazó con un arma que todos los adolescentes usan una vez u otra y que es demasiado peligrosa. Mi padre no me perdonará nunca, aseguró, y yo antes de que se entere me mataré. Remedios Comas me pidió permiso para fumar otro cigarrillo y confieso que me añadí. Se estuvo un rato en silencio, pensativa entre la nube de humo, avergonzada por haber tomado, probablemente, la decisión equivocada, hasta que remató su confesión. Callé con la promesa de que nunca más se acercase a Jesús López. Lo hice por Bárbara, no por él, puntualizó. Si he cometido algún delito callando hasta ahora asumiré mi responsabilidad, esta vez sí, finalizó.

Sureda no ha dicho nada en todo el rato. Ha ido visualizando la escena y casi ha oído y ha visto a Remedios Comas y ha sufrido su dilema. Lozano está satisfecho. Percibe que lo ha conmovido, que le ha hecho compartir con él esos momentos tan delicados de la investigación, cuando creyó que ya la tenían resuelta.

Cuando ató cabos y atribuyó a Jesús los malos tratos, los anticonceptivos, el bloqueo sexual de Bárbara, las notas y la huida. Todo cuadraba. Una ecuación perfecta. El profesor que se había sobrepasado, que había reaccionado con violencia o con agresividad por miedo a ser descubierto, que tenía a Bárbara deslumbrada y que quizás le había prometido cosas que no podía cumplir, alguien que en definitiva encarnaba a un enemigo poderoso para Martín Borrás. Y Lozano recuerda la iluminación súbita al ocurrírsele que a lo mejor Martín Borrás fue sólo una escapatoria para Bárbara, una puerta abierta por la que, finalmente, no pudo pasar.

Siempre pensé que era un gilipollas, ratifica Sureda. Pero un gilipollas no es un asesino, añade con voz docta. Y Lozano se rebota interiormente contra la soberbia de Sureda. Como si poseyera la verdad, como si fuera tan sencillo, como si la diferencia entre un gilipollas y un asesino fuera tan fácil. Y continúa como si no hubiera oído a su sucesor. Lo cierto es que el escándalo estalló, efectivamente, y los vaticinios de Jesús se cumplieron, su vida laboral y personal se derrumbó, pero no apareció ninguna prueba que lo vinculara con la desaparición de Bárbara ni que pudiera demostrar algún encuentro sexual o algún indicio de violencia hacia ella. Controlamos el coche, la ropa, los movimientos de la tarjeta de crédito, le pusimos vigilancia y pinchamos sus teléfonos infructuosamente. Lo negó todo, una y otra vez. Y sin testigos ni cuerpo fue imposible continuar la instrucción del caso. Su mujer, a pesar del odio visceral que manifestó después hacia su ex marido, siempre declaró que Jesús López estuvo con ella en Barcelona durante todos los días de Semana Santa. Y por más que la policía se esforzó, nadie pudo demostrar lo contrario.

El subinspector Sureda se levanta y mira el reloj. ¿Algo más?, pregunta como quien está despachando con un subordinado. Tiene prisa. De pronto ha recordado una cita o tiene ganas de fumar. No se sabe, pero ya está harto de escuchar y el interés que sentía hacia Martín Borrás no lo demuestra hacia Jesús López. Lozano, si bien se siente desilusionado, también tranquiliza a su ego. Su intuición era acertada. A Sureda le resbala el caso Molina. Los jóvenes no quieren casos podridos. Hasta luego, nos vemos en la fiesta de despedida. Y al salir por la puerta se permite una bromita: Ya lo sospechaba, pero aviso que nunca trabajaré de profesor. Lozano se queda solo, ante el caso de Bárbara Molina. Bárbara yace despanzurrada sobre su mesa. Hipótesis, nombres, un rompecabezas imposible que ha intentado hacer encajar millones de veces. Seguramente el nombre del homicida está en estos papeles, junto al nombre de Bárbara. También están los móviles, las circunstancias, los hechos y el misterioso destino del cuerpo de la chica. Lo que ocurre es que a fuerza de mirarlo y volvérselo a mirar todo le baila y ya no es capaz de verlo. Le gustaría ponerse unas gafas y ser capaz de leer con claridad las letras borrosas del caso. De lo que está seguro es que los golpes del cuerpo de la chica y el asesinato fueron cometidos por la misma mano. Quizás sí que su jubilación podrá dar luz verde a Bárbara. Tal vez sea él la variable que sobra de la ecuación y una vez apartado del caso los demás

106

sean capaces de leerlo con la clarividencia que a él le ha faltado. Y se levanta para ir a dar un paseo antes de la cena de despedida donde le regalarán el consabido reloj y beberán a su salud.

Le quedan seis horas, pero serán las horas más largas de su vida.

10. *Eva Carrasco*

Eva se ha quedado cortada. Le ha abierto la puerta Nuria Solís en pijama, desaliñada, con una bata echada por encima. Va despeinada y está ojerosa. En los últimos tres años el cabello le ha encanecido prematuramente, aunque a lo mejor ni se ha dado cuenta. Tiene el aspecto de una persona que no se mira al espejo, que no vive en este mundo. Parece una enferma terminal. ¡Eva!, grita demudada, los ojos muy abiertos, como si no pudiera creer que fuera ella. Y con toda la razón, porque no la ha visitado ni una sola vez desde la famosa rueda de prensa que dio Pepe Molina para Tele 5. Lo ha intentado en más de una ocasión, alguna mañana se ha levantado diciendo hoy iré a ver a la madre de Bárbara, pero le ha dado palo y ha encontrado cualquier excusa para aplazarlo. Una llamada de una amiga, una película recién estrenada, un examen. Y así una vez y otra y otra. Y ya hace tres años. Ahora es una mujer y Nuria Solís la repasa obsesivamente. La está estudiando con el mismo interés que alguien estudia un manual de instrucciones para poner en marcha una lavadora. Alarga una mano para tocarla y la pasa con suavidad por el brazo, por el cuello, por la mejilla. Se detiene en la mejilla y se la acaricia lentamente. ¡Eva!, vuelve a exclamar conmovida y a punto de romper a llorar. Eva, desconcertada, se agarra a la carpeta y la oprime contra el pecho, para protegerse. Teme la descarga de emotividad que su presencia ha desatado en la madre de Bárbara y que estallará de un momento a otro. Efectivamente, Nuria Solís deja caer los brazos y los ojos se le inundan de lágrimas. Su cuerpo se va empequeñeciendo a medida que agacha la cabeza y hunde los hombros, el pecho sacudido por un llanto callado, profundo. Se ha dado cuenta de que Eva ha crecido, se ha redondeado, ha madurado. Probablemente, ha captado de un solo vistazo cómo podría ser Bárbara si estuviera viva, una estudiante universitaria con una carpeta llena de apuntes, una chica que se hizo reflejos rubios la semana anterior, que ha quedado para cenar con unas amigas en el kebab de la calle Aribau, que irá este fin de semana a ver un documental al cine Verdi con un chico que estudia ingeniería industrial, que prepara unas vacaciones en las islas griegas con la pandilla del Club Excursionista, que da clases particulares a los chavales de la farmacia de la calle Diputación. Eva, descolocada, cierra la puerta y abraza a la madre de Bárbara. No llores, le murmura al oído. Una petición interesada, porque no puede sufrir ver llorar a nadie. Bárbara también sabía llorar. Cuando se enfadaban, Bárbara siempre acababa llorando. Me gusta, confesaba, me quedo más tranquila. En cambio a Eva le cuesta, por eso no lloró por Bárbara y le daba mucha rabia que otras chicas de la clase, que ni siquiera la conocían, protagonizaran aquellas llantinas tan espectaculares. Parecía que Bárbara le importara un pimiento. Eres inhumana, tía, le reprochó Bernardo. Y no era cierto. Sufría más que Carmen, Mireia y Merche juntas, aunque ellas fueran más llamativas y teatrales y salieran por la tele porque a los periodistas les flipa el morbo de las *teenagers* empapadas en mocos y lágrimas. Claro que sufría. Sufría cada noche por Bárbara imaginando que moría de formas horrendas. Ahogada, quemada, despedazada. Sentía especial repulsión por todo lo que tuviera que ver con la sangre. Cuchillos, sierras, punzones. Su subconsciente elegía escenas *gore* que quizás había visto en documentales o leído en la prensa e imaginaba una agonía larga y sobre todo una muerte cruel. ¿Qué se podía esperar de alguien que había causado una carnicería en una cabina de teléfonos? Sin embargo, no pudo llorar nunca, ni a solas ni ante las cámaras. Ahora tampoco puede sumarse al llanto de Nuria Solís y, puesto que no se deja llevar por el abatimiento, le toca consolarla y susurrarle palabras amables, tiene que invitarla a sentarse, tomarle la mano y acompañarla en silencio mientras se va calmando poco a poco.

Llegan los gemelos de la escuela sin hacer ruido, con la mochila en la espalda y los ojos apagados. Han crecido mucho; si los hubiera encontrado por la calle, no los habría conocido. Ya tienen una nuez, en medio del cuello delgaducho, que se mueve arriba y abajo al decir hola. Son idénticos y no sabe quién es Xavi y quién es Guillermo. No le dan conversación, sólo saludan y se dirigen hacia su habitación. Por eso no los ha ido a ver nunca, porque son una familia tétrica, como

110

los Monster. La madre se ha convertido en una sombra de lo que era. Antes era guapa, joven, y sabía reír, aunque pecara de agobiada y dependiese demasiado de su marido. Ahora no da un paso sin él, carece de personalidad, es una mujer indiferente y apática. Los hermanos no alborotan nada, es como si no existieran. Han cerrado la puerta y se los ha tragado un agujero negro. Son dos chicos temerosos de crear problemas. Nuria Solís se calma. Lo siento, dice. Mi marido no está todavía, seguro que le hubiera gustado verte y saludarte. Eva asiente mientras piensa. Así pues el padre de Bárbara no está. Pepe Molina es diferente. Siempre lo ha sido, era quien tomaba las decisiones, quien controlaba a Bárbara, quien daba un puñetazo sobre la mesa cuando era necesario. Bárbara le adoraba y le temía. Ahora finge fortaleza, pero en realidad es el que está más afectado. Fue el primero que supo reaccionar, que la buscó noche y día, que no perdió la esperanza, el que fue a charlar con ella haciendo de tripas corazón, con una sonrisa en la cara y la voluntad de quienes no se dan por vencidos. Él le preguntó por todos los detalles de la relación de Jesús y Bárbara y Eva no se ahorró ni uno. Vació el buche y él supo estar a la altura. Se presentó en casa de Jesús y lo vapuleó. Le hubiera gustado verlo. ¡Cómo se alegró! Un tipo tan narcisista, tan cabrón, tan cobarde. Fue su revancha. El padre de Bárbara hizo justicia y ese día, además de respetarlo, porque era un hombre que sabía hacerse respetar, lo admiró. Pepe Molina puso a Jesús en su lugar, aunque luego la policía y los jueces no supieran hacer su trabajo. Quizás no sirviera de nada.

111

Piensa. Pero es mejor romperle la cara a un estúpido que quedarse en un sofá lloriqueando.

¿Y a qué se debe tu visita?, pregunta de repente la madre de Bárbara. Eva se siente fatal. Quisiera decirle que ha oído la voz de su hija, pero no se atreve. ¿Y si es una falsa alarma? ¿Y si en realidad no era Bárbara? ¿Y si todo se complica y no pueden encontrarla? La mataría, no se pueden dar falsas esperanzas a un moribundo. Pasaba por aquí, camino de la academia de inglés, y he pensado que tenía cinco minutos, miente con aplomo. Hace un rato que ha decidido que no le dirá nada a Nuria Solís. No sería capaz de asimilarlo, no podría pensar con claridad, sólo lo estropearía y basta. La ha cagado y deberá marcharse con su secreto. Nuria Solís no es la persona que buscaba. De hecho esperaba encontrar al padre de Bárbara, él sí que le merece confianza. ¿Y qué estudias?, pregunta Nuria Solís sin ganas de saberlo. Es una pregunta de compromiso. Periodismo, responde Eva con un hilo de voz y temiendo que vuelva a llorar. Periodismo era la carrera que quería estudiar Bárbara, siempre decían que elegirían la misma carrera y que luego irían a hacer de reporteras internacionales. Yo Tokio y tú Nueva York, decidía Bárbara. ¿Ah sí? ¿Y por qué no al revés? De acuerdo, tú en Tokio y yo en Nueva York. Mejor para mí, me ahorraré aprender el peñazo del japonés. Bárbara siempre la desconcertaba. Nunca la llegó a conocer del todo. Cuando eran muy amigas y creía que podía leerle los pensamientos se daba cuenta de que Bárbara le cerraba el paso de su intimidad. Le escondía cosas, era su estilo lunático. Tenía días buenos y días malos. ¿Qué te pasa?, le preguntaba a

112

veces conociendo la respuesta hermética de Bárbara de antemano. Nada. Sabía, sin embargo, que mentía, porque era una mentirosa. Recuerda el mal rollo que le dio con Martín Borras. Estuvo negando la evidencia durante más de dos meses. ¿Dónde estabas ayer por la tarde?, le preguntó un día que sabía fijo que habían estado haciendo manitas en el Guito ante una Coca-Cola olvidada. Fui de compras con mi madre, mintió Bárbara. ¿Ah sí? ¿Y qué te compraste? ¿Eh, tía, y a ti qué te importa? Cuando Bárbara se ponía agresiva y se obcecaba en sus trece, Eva daba un paso atrás. Tal vez nunca fueron amigas de verdad. Tal vez se lo imaginó y basta. A las amigas se les puede radiografiar el corazón, el alma, y Bárbara era un expediente X. Siempre con misterios.

Y de repente, se abre la puerta con energía y se oye una voz potente que grita un ¡hola! que rebota contra las paredes vacías y tristes, una voz acompañada de pasos seguros, rítmicos, que avanzan cálidamente por el pasillo. A Eva se le ensancha el corazón. ¡Es el padre de Bárbara! Es Pepe Molina, el único ser vivo de la casa. Él se queda patidifuso al encontrársela sentada en el sofá, al lado de su mujer. ¡Hola, Eva! ¿Qué haces aquí?, pregunta directo, sin irse por las ramas ni doblegarse a las emociones. Eva se levanta de un salto. He pasado un momento a veros. Pepe Molina se acerca y la besa. Está delgado, pero no esquelético como su mujer, y no tiene ni una cana. Es atlético y flexible. Bajo el traje impecable de lana mil rayas se adivina un cuerpo proporcionado, armonioso, ni demasiado alto ni demasiado bajo. Como las esculturas grecorromanas, como Bárbara. El *body* de Bárbara era de manual de anatomía, reconoce Eva todavía con un pelín de envidia. Bárbara gastaba una treinta y ocho clavada sin un gramo de grasa, y el mismo cabello castaño y rizado que su padre. El resto, el óvalo dulce de la cara, la sonrisa y los ojos traviesos eran de su madre. Nuria, ¿no le has preguntado si quería tomar algo? La mujer se agobia, se levanta al instante, como si despertara bruscamente de una siesta. Perdona, ¿quieres tomar algo?, le espeta. Y Eva se agarra a la posibilidad como a un hierro candente. Un café, gracias, asiente presurosa. Nuria Solís va hacia la cocina y Pepe Molina se sienta delante de ella, inquisitivo, inteligente, intuitivo. ¿Me quieres decir algo, no? Adivina que está ahí por algún motivo especial y en cuanto la madre sale de la sala Eva inclina el cuerpo hacia delante para hacerle la confidencia sin que la oiga nadie más. Habla rápido, como temiendo que de un momento a otro la madre vuelva a entrar y le pregunte si quiere el café con leche o solo, y los pille. Me ha llamado Bárbara, suelta sin prolegómenos. ¿Cómo dices? La sorpresa del hombre es mayúscula. ¿Bárbara te ha llamado?, repite balbuceante. Sí, está viva, la he oído, ha hablado conmigo. El padre se lleva las manos a la cabeza y cierra los ojos unos instantes. Está abatido, no puede digerir la información y Eva teme que le sobrevenga un infarto. Ha palidecido, pero no llora y en seguida recupera el color y la voz. ¿Qué te ha dicho? ¿Dónde está? Y aquí Eva debe reconocer que no sabe casi nada. Ha sido una llamada muy corta, sólo ha gritado ayúdame y me ha dicho que era Bárbara y era verdad, era ella, la he

114

reconocido. No sé dónde está ni dónde ha estado durante todo este tiempo. He intentado volver a ponerme en comunicación con ella llamando al mismo número, pero no me ha cogido el móvil. Pepe Molina ha tenido un movimiento de cabeza involuntario. ¿Un móvil? ¿Te ha llamado desde un móvil? ¿Sabes el número? Eva saca su agenda donde ha apuntado el número y se lo dicta. El padre de Bárbara está tan impaciente y tan nervioso que no encuentra ningún bolígrafo ni ningún papel y de repente se gira. ¡Arranca la hoja y dámela!, ordena. Pero Eva ya ha sacado un boli suyo y está terminando de apuntar el número en la esquina de un diario que había sobre la mesa. Al hombre le tiemblan las manos al rasgar el papel. ¿Y dices que no te ha contestado más? Se ha cortado, como si no tuviera batería o cobertura, vete a saber. Pepe Molina se levanta, toma el teléfono inalámbrico y marca, espera unos segundos y vuelve a colgar. A él tampoco le ha respondido, piensa Eva. El hombre respira hondo, está pensando. ¿Le has dicho algo a Nuria?, pregunta de repente. Eva niega con la cabeza. No he podido, está demasiado hundida, sólo verme se ha puesto a llorar. Pepe Molina no se relaja. Has hecho bien, debemos actuar con la cabeza fría y Nuria no sabe. Se pone repentinamente serio. ¿Tienes alguna idea de dónde pueda estar, algo que se te ocurra, que nos pueda ayudar? Y esta vez Eva confiesa lo poco que sabe. Una vez, poco después de la desaparición de Bárbara, fui a una casa que tiene en Rosas Martín Borrás. Él dijo que iba a buscar algo a la bodega y que le esperara. Como tardaba demasiado fui a buscarlo, pero no llegué a bajar, él me encontró abriendo la puerta y reaccionó de forma muy agresiva, como si hubiera algo escondido que no quisiese que yo descubriera. Eva tiembla y baja los ojos. Ya está. Ya está dicho. Ya ha confesado y se ha podido ahorrar los detalles sobrantes. No ha sido necesario especificar qué hacía allí, ni por qué fue.

Pepe Molina también calla y se sienta. Mueve la cabeza a un lado y a otro, con incredulidad, con asombro, como si no la creyera. ¿Me estás diciendo que aquel desgraciado ha tenido a mi hija encerrada cuatro años en la bodega de su casa? No, no, rectifica Eva asustada por lo que acaba de sugerir. Yo sólo he dicho que escondía algo, pero ignoro qué podía ser. Es lo único que se me ha ocurrido. Pero Pepe Molina se pone en pie de un salto y ya no la escucha. Ya me ocupo yo, me pondré en contacto con la policía, tú ya te puedes olvidar, dice resuelto. Pero te pido mucha discreción, sobre todo no hables con nadie, es muy peligroso que esta información salga de aquí. Está en juego, y le tiembla la voz, la vida de Bárbara. ¿Lo has entendido? Eva lo ha entendido perfectamente y es exactamente lo que esperaba oír. Por eso ha ido a verlo. El hombre la ha liberado de su responsabilidad, ya no tiene ninguna carga sobre sus hombros, ya no le corresponde tomar ninguna decisión. Ahora todo seguirá su curso, todo irá solucionándose y pronto podrá leer en la prensa la noticia de la aparición de Bárbara. Y a partir de entonces podrá dormir tranquila por las noches sabiendo que Bárbara no ha desaparecido, que su deseo perverso no se ha cumplido y que no es culpable de nada.

Le da un beso a Pepe Molina en la mejilla en el

116

momento en que Nuria Solís entra en la sala con una bandeja donde lleva el café y una taza. ¿Te vas?, pregunta desolada. Es que tengo mucha prisa, se disculpa Eva. Nuria Solís se queda con la bandeja en las manos, perdida, como una niña engañada. Pero si me has pedido un café. Su marido la interrumpe con brusquedad. Ya lo has oído, tiene prisa. Nuria Solís calla y no protesta más. Eva siente pena por ella. Muchas gracias por la visita, murmura con los ojos brillantes. Y Eva le da un beso ligero en la mejilla, enternecida por la fragilidad de la mujer, y se va con la pesadumbre de no haberle podido dar una noticia que, si fuera cierta, le devolvería la vida. Pronto, pronto se reanimará y volverá a sonreír.

Ella, como Bárbara, también esconde secretos.

SEGUNDA PARTE

A oscuras

11. Nuria Solís

Nuria Solís se ha agobiado. Dos visitas que le recuerdan a Bárbara en un mismo día son demasiadas emociones. La aparición de Eva, especialmente, la ha dejado tocada. La conoce desde parvulario. La ha visto crecer junto a Bárbara. Abrir la puerta y verla allá ha sido como retroceder en el túnel del tiempo y dar un salto cinco años atrás cuando Eva llamaba al timbre de casa día sí y día también, se metía como una exhalación en la habitación de Bárbara y al poco estallaban sus carcajadas. Que me meo, que me meo de risa, gritaba Eva. Les preguntaba si querían merendar, pero se la quitaban de encima. Las estorbaba. ¡Anda, déjanos! ¡No queremos nada! Querían estar juntas para charlar, poner verdes a los profes y a los compañeros, conectarse al Messenger, colgar fotos en Internet y soñar.

Nuria Solís no sabe qué hacer con la bandeja que tiene en sus manos. No sabe si tomarse el café ella o tirarlo. ¿Quieres el café de Eva?, le pregunta a Pepe, que se ha ido a cambiar de ropa, a ponerse cómodo como hace siempre que llega a casa y sustituye su traje impecable por unos tejanos y un jersey informal.

121

Pepe se ha apresurado más que otros días. Anda, sal del medio y deja eso en la cocina, le dice con brusquedad al pasar por su lado para ponerse a revolver cajones como un loco. Está preocupado por algo. Siempre tiene temas por resolver, es un hombre de acción y la gente como ella, plantada en medio del camino, le estorba. Se le ocurre que tal vez irá a ver al subinspector Lozano para despedirse. Va discretamente hacia la cocina y no pregunta. Hace tiempo que ya no pregunta. Pepe entra y sale y hace y deshace mientras ella se sienta en el sofá, como los abuelos en los parques, y lo contempla pasar arriba y abajo. Se siente cansada e incapaz de seguirle el ritmo. Ya no van de vacaciones, ya no salen los fines de semana, ya no reciben amigos ni quedan a cenar en casa de nadie. Deberíamos vender la masía del Montseny, dice Pepe a veces. Y tiene razón porque está muerta de asco y cuesta trabajo y dinero de manteni- miento, pero ella se resiste, es la herencia de sus padres y Elisabeth, al saberlo, puso el grito en el cielo. ¿Estás loca? ¡Es lo único que tienes a tu nombre! Además, está el perro. ¿Qué harían con un perro en casa? Da igual, no lo hará porque tampoco se ve capaz de poner un anuncio, de enseñar la masía, de regatear con unos posibles compradores. Y arrincona ese problema y se dice ya lo resolveré mañana. Casi todos los días asume lo imprescindible y el resto lo deja para el día siguiente. Y el día siguiente se le hace cada vez más cuesta arriba.

Me voy, no me esperes para cenar, la avisa Pepe después de intercambiar cuatro palabras protocolarias y trascendentes con los gemelos. No lo hace demasiado

122

a menudo, pero los chavales lo necesitan de vez en cuando. Les ha recomendado que estudien y que no se dejen pisotear. A Pepe le come la moral que no sean brillantes como Bárbara, que se conformen con ser chavales de segunda fila, tímidos e invisibles. Pero no ha tenido tiempo de educarlos como hubiera querido. Adiós, le dice sin mirarla casi y sin darle un beso de despedida, porque ya no se besan. Se han distanciado. Quizás ya lo estaban, pero la desaparición de Bárbara fue un terremoto y las grietas se convirtieron en abismos. Están muy lejos el uno del otro. A veces se pregunta qué piensa su marido cuando la mira. ¿Qué ve? ¿Por qué siguen juntos? Quizás los mantiene unidos el recuerdo de Bárbara. Es lo único. Eso y la rutina y su incapacidad para actuar. Quisiera encender un cigarrillo, pero sabe que es una trampa. Como un trago de coñac. No la ayudarán a convivir con la angustia que le produce ese nombre. Por eso necesita a Pepe, para que piense por ella y la empuje a seguir tirando. A veces sin embargo, cuando se enfada, todo se tambalea. Ha aprendido a aguantar los chaparrones con la cabeza gacha. Antes se atrevía a alzar la voz de vez en cuando y discutía y le plantaba cara y defendía su punto de vista sobre la vida y sobre los hijos. Pepe pecaba de excesivo. Era excesivamente vehemente, excesivamente tremendista, excesivamente tajante. Pero a diferencia de ella tenía principios y creencias que defender y era coherente con sus ideas. Creía en la familia, en el amor de la pareja, en el valor de la autoridad paterna, en los proyectos comunes. Ella en cambio dudaba sobre todo y continuamente rectificaba e iba

123

dando tumbos, sin norte ni brújula. Improvisaba, como si la vida fuera un experimento continuo. A ella no le habían inculcado los principios estrictos con los que comulgaba Pepe. Eres una cabeza loca, le dijo cuando se conocieron. Y era cierto. Siempre había tenido la cabeza llena de pájaros, era enamoradiza, inconstante y no paraba quieta. Subía montañas, viajaba con la mochila en la espalda y el InterRail en el bolsillo, cambiaba de novio como de camisa, se apuntaba a cursos de fotografía, de idiomas y era un puro nervio falto de equilibrio, de serenidad. Suerte de Pepe. No sabe qué habría sido de su calvario sin su apoyo, sin su presencia. Y por eso ha aguantado los reproches y el distanciamiento. Otro la habría dejado. Otro le habría dado puerta a la primera de cambio. Es lo que se temía siempre que él la miraba con aquella expresión severa que le decía, sin palabras, te equivocaste, fuiste tú quien empujó a Bárbara a huir de casa, quien la dejó escapar, quien no la supo educar con mano firme. No se puede quitar la amargura de dentro. Déjala que aprenda a equivocarse, le decía ella. Hay errores que se pagan toda la vida, contestaba Pepe. Y esa palabra la hiere como una jaqueca persistente. Errores, errores, errores. ¿Cuántos errores cometió? ¿Por qué la empujó a los brazos de Martín Borrás? ¿Por qué le dio alas? ¿Por qué no la controló? ¿Por qué no supo prever los peligros que la acechaban? ¿Por qué? Y se tortura intentando recordar cuándo comenzó a estropearse todo, cuál fue el momento en que ella debería haber confiado en el criterio de Pepe y no en el suyo. ¿Quizás cuando Bárbara era una niña y prefirió a su papá? ¿Quizás cuando

124

ella, dolida pero feliz, no hizo nada para ganársela? ¿Quizás cuando se apagó repentinamente el verano que tenía catorce años? ¿Quizás cuando ella se obcecó en redimirla a la fuerza? Déjala tranquila, le decía Pepe, ya se le pasará. Ella se tiraba de los pelos. Pero no quiere salir de casa, no quiere ver a nadie. ¿Y qué?, decía Pepe, no seas impaciente. Pero fue impaciente y pidió ayuda a Eva, su mejor amiga, para que la animase a salir como antes, y fue idea suya que se inscribiera en el Club Excursionista y conociera a gente nueva. En definitiva, fue ella quien la incitó para que se peinara, se enamorara y gozara de su cuerpo. Y Bárbara pasó del abatimiento a la locura. Perdió el oremus por culpa de aquel chico. En seguida supo que se había colgado de Martín por la forma de mirarse en el espejo, de pintarse los labios, de esperar una llamada, de espiar por la ventana para verlo esperándola, pegado al portal de su casa. Y en vez de estar al acecho y decirle que era demasiado joven, la empujó a sus brazos y la dejó subir a su moto sin advertirle que podría despeñarse. Debería haberse dado cuenta de que Martín era más mayor, más exigente, más impaciente, que casi no lo conocía, que no sabía nada de su familia, que a lo mejor era un chico violento que usaría la fuerza, que el amor es ciego y que a veces mata. Nuria Solís no lo dice, pero tiene la certeza de que Martín Borrás mató a su hija. Todo empieza y acaba con Martín Borrás. No siente odio, sólo culpa. Ella y Martín eran los únicos que habían visto su cuerpo desnudo. Un cuerpo joven, lleno de moratones y heridas en los antebrazos. Debería ha-bérselo dicho a Pepe, debería haber puesto a Bárbara

125

contra la pared con más contundencia, hacerla cantar, hacerla confesar que Martín había abusado de ella contra su voluntad, que tomaba anticonceptivos por él, que se abandonaba en sus manos porque estaba demasiado colgada. Pero fue egoísta y rehuyó el enfrentamiento. Habría sido aceptar la derrota de sus métodos y pudo su orgullo. Hizo la vista gorda y se escabulló de la ira de Pepe, que estalló al descubrir que su tremendismo no era infundado. No dijo nada a nadie y creyó que todo se arreglaría porque la vida no se podía enseñar y cada uno tenía que aprender a vivirla. Estaba segura de que con el tiempo Bárbara maduraría, aprendería de la experiencia y se vacunaría para los sufrimientos futuros. Pero Bárbara se quedó sin futuro. Errores, errores, errores. Y vuelve a ese callejón sin salida en el que se ha quedado atrapada sin remedio. En el momento en que se dio cuenta de que Bárbara no era suya y de que escapaba de su lado, de que no aceptaba sus caricias y que escondía la cabeza bajo la colcha diciendo déjame, mamá, vete, no lo entenderías. Fue cobarde por egoísmo y cargará para siempre con el remordimiento por haber sido tolerante, que es y ha sido una forma bonita de rebautizar la inconsciencia. Fue irreflexiva y temeraria y lo pagó caro.

Después de la huida y la desaparición de Bárbara se derrumbó incapaz de levantar cabeza, de enfrentarse con su fracaso, de encontrar fuerzas para seguir creyendo en algo y criar a sus otros hijos sin rencor. Desgraciadamente, ellos ya estaban marcados por la ausencia de Bárbara. Hay algo que la aterra y que no ha confesado a nadie. No puede amar a los gemelos

126

con la misma intensidad que lo hizo con Bárbara. Le da pánico sufrir y cada vez que los ojos se le van hacia los chavales algo dentro de ella la detiene. Intenta averiguar quiénes son, qué piensan, si le esconden tantas cosas como hizo Bárbara. Y asume que ha malgastado su vida estropeando una familia, la que había soñado levantar, mantener y alentar a pesar de las dificultades.

A veces Elisabeth intenta sacarla de su letargo y le muestra fotografías de cuando eran niñas, de cuando eran jóvenes. Le dice que antes fue animosa y la recuerda cuando subía el Matagalls con Bárbara a la espalda, en la mochilita, o cuando esquiaba con Bárbara entre las piernas en Font-Romeu, o cuando la metía dentro del coche y se marchaban de camping hacia la Bretaña, a la aventura, sin miedo a lo desconocido. No sabe ahora, ni le interesa, quién era esa chica risueña que enamoró a Pepe en el hospital, cuando él ingresó por una úlcera de estómago y ella le animó diciendo que no era nada. Quizás sí que pecó de entusiasta. Pero tuvo que aprender a ser realista y dejó la carrera de medicina. Era imposible trabajar, terminar los estudios y criar un bebé, y ella, terca como una mula, no lo quería aceptar. Al nacer Bárbara, un accidente maravilloso, sólo le quedaba un año para finalizar la carrera de medicina y creyó que podría salir adelante, pero no estaba dispuesta a renunciar a nada. Pepe le hizo darse cuenta de su actitud pueril. A él también le hubiera gustado estudiar económicas, le dijo, pero tuvo que elegir un trabajo práctico y bien pagado para asumir sus responsabilidades. Nuria se recrimina a menudo su egoísmo, lo que nunca nadie le había reprochado hasta que conoció a Pepe. A veces olvidaba incluso que tenía pareja. Buscaba su propio beneficio, su satisfacción. Quería ir al cine, salir con las amigas, hacer las mismas cosas que cuando estaba sola. Pepe la enseñó a amar. A posponer el yo detrás del tú, a abrir todas las puertas cerradas, a compartir los secretos, por muy dolorosos que fueran, a aceptar las miserias y a reprimir los impulsos fatídicos que la empujaban lejos, hacia fantasías pueriles que le hacían olvidar sus obligaciones hacia los demás. Quizás perdió amistades y familia por el camino. Quizás se descolgó del mundo y se quedó sola. Pero tenía a Pepe.

Y ahora, que ya no tiene impulsos, deseos ni secretos, detecta la decepción en los ojos de Él. Hace ya muchos años que no hacen el amor y lo prefiere así. Duermen separados, hablan lo mínimo. Sin embargo, él no ha hecho la maleta ni la ha dejado. Y le está agradecida. Conviven bajo el mismo techo y simulan una farsa. Comparten una mentira piadosa. No queda nada de su pareja, se ha hecho añicos, como la esperanza de encontrar a Bárbara, como la llama de la ilusión que nunca se había apagado del todo hasta que Bárbara se esfumó.

Y aun así, reconoce que a veces él es amable y la trata compasivamente.

Ya no inspira amor, sólo compasión.

12. Bárbara Molina

Estoy asustada, lo he hecho mal, siempre lo hago todo mal. No debería haber llamado a Eva. Seguro que me odia todavía, que no me ha perdonado, que me maldice cada noche y se alegra de que haya desaparecido. Fui una cerda, éramos amigas y la engañé. Le robé a Martín y ni siquiera le dije eh, tía, lo siento. Él tiene razón, siempre tiene razón. Me dice que le he destrozado la vida. Haga lo que haga lo estropeo todo. No puedo quitarme la suciedad de encima, no puedo, aunque me frote el cuerpo con un guante de pita hasta sangrar. Cuando se enfada me dice que una persona como yo merece morir y eso es lo que todos creen. Estoy muerta y no debería haber intentado ponerme en contacto con los vivos. Aquí es el lugar donde me corresponde estar, dentro de un zulo, abandonada, a oscuras, como un animal. A veces me reconforta que crean que estoy muerta, la muerte me ha redimido y me ha convertido en un recuerdo amable, en una fotografía alegre de una chica joven a quien todos perdonan. No saben que soy mala, o se han olvidado. Mejor. Él es el único a quien no puedo engañar. Si saliera de aquí dentro se horrorizarían de mi aspecto de mujer.

Y a una mujer ya no se le perdonan las cosas que hace una niña. Él no para de repetírmelo noche y día. No sé cómo, pero llevo la maldad en la sangre. Él también fue un capricho mío, fui yo quien lo buscó, quien lo incitó, quien lo sedujo. Yo le destrocé la vida. Mi egoísmo no tiene límite, siempre he deseado lo que no era mío y he sido ambiciosa y mezquina. He querido la nota más alta, el juguete del vecino, el novio de mi amiga, y lo he conseguido con malas artes. Soy una bruja. Seguramente ésa fue la razón que me empujó a encapricharme de Martín Borrás. Para hacerle daño a Eva, para demostrarle que yo era mejor que ella. A lo mejor no controlaba. A veces creo que sé por qué hago las cosas y otras me doy cuenta de que ni yo misma lo sé. ¿Estoy loca?

Yo ya estaba al tanto de que Eva estaba colada por Martín Borrás. Lo sabía desde hacía meses y me lo conocía de memoria de tanto oírla hablar, pero no lo había visto nunca en persona. Era su monitor del Club Excursionista, seis años mayor, un tío que pinchaba en una disco por las noches, que tenía moto, que había estado en Nueva York y Tokio, las ciudades que nosotras soñábamos visitar algún día, y que se parecía a Brad Pitt. Triunfaba en otros ambientes, pero en la parroquia se las daba de buen chico. Sus padres lo habían obligado a hacer de monitor por culpa de no sé qué historia con drogas. Una especie de trabajo social estúpido, tal vez aconsejados por algún psicólogo puritano. A Martín le importaban un huevo los chavales, las excursiones y le sudaba cantar canciones y preparar juegos de noche. Se escaqueaba siempre que

130

podía. Inventaba mentiras truculentas y a media noche, cuando estaban acampados, cogía la moto para ir de fiesta y regresaba de madrugada con unas ojeras hasta los pies. Los otros monitores estaban mosqueados con él, pero no se iban de la lengua. Y sus padres creían que había pasado el fin de semana en la montaña, respirando aire sano, y que era tan buen chico. Esto es lo que me contó Eva. Y creo que antes de conocerlo ya estaba predispuesta a colgarme de él. Era un mentiroso, como yo, era un tramposo, como yo, era un tipo que procuraba salirse con la suya y que no lo conseguía, como yo. Éramos almas gemelas. No sé si lo pensé, pero tenía debilidad por el personaje. Un canalla.

Fue un amor a primera vista. Nos miramos y nos gustamos. No sé si Eva ya le había hablado de mí o no. Sólo sé que Martín al verme me guiñó un ojo y que yo le respondí. Inmediatamente, me repasó de arriba abajo con una sonrisa que me descolocó. En aquellos momentos, me sentí desnuda y tuve ganas de besarlo. Fue muy fuerte y disimulé para no lanzarme a sus brazos. Eva no se dio cuenta de nada. Peor, creyó que me daba corte e intentó que nos hiciéramos amigos. Eva era demasiado buena tía y un poco tonta para estas cosas. Además, era tan estúpida que no sabía sacarse partido. Tenía unas tetas como melones y en lugar de enseñarlas las escondía. Le daba vergüenza, decía. Habíamos estado muy unidas hasta ese verano, antes de que pasara aquello y de que se posicionase en mi contra cuando intenté hacerla cómplice de mi problema. Antes de escucharme a mí se había aliado con mis padres y ya le habían comido el tarro. Por eso no le conté nunca más nada. No valía la pena. No me hubiera creído y tampoco hubiera podido ayudarme. Ella sabía que yo le escondía cosas, pero no insistió. Fueron ella y mi madre quienes me convencieron para ir al Club Excursionista y cambiar de aires. Tenía que sacudirme la tristeza de encima y salir de casa dijeron, y me dejé querer. Pero en el mismo instante en que Martín Borrás me miró entendí que no podríamos seguir siendo amigas. O Martín o Eva, me planteé. Y elegí a Martín. A Eva ya no la tenía, era amiga de mi padre y mi madre, pero no mía. O a lo mejor no lo pensé y simplemente hice lo que me pedía el cuerpo. Las complicaciones vinieron luego.

Esa misma noche, al salir de la parroquia, vi que se entretenía sacando el candado de la moto y mirándome de reojo. Mentí a Eva diciendo que había olvidado el móvil dentro y al salir unos minutos después con el corazón a cien, Martín, con el casco puesto, aún no había puesto la moto en marcha. Estaba clarísimo que me estaba esperando. ¿Quieres que te lleve a algún sitio? Me entró como un profesional. Y yo contesté que sí, que gracias, que no vivía muy lejos, pero que me hacía ilusión subir. Me agarré muy fuerte y al abrazarme a su espalda y rodearlo con los brazos sentí un cosquilleo en las piernas que me hizo estremecer. Antes de darnos el primer beso nos estuvimos enrollando en el Messenger y enviándonos SMS. Al cabo de dos meses teníamos citas a espaldas de Eva y de todos. A mí también me convenía que en casa no se enterasen. Inventaba excusas, exámenes, trabajos y salidas. Y finalmente ocurrió lo inevitable, discutí con Eva. Estaba celosa, dolida y me acusó de haberla engañado y mentido. Tenía toda la razón y me quedé sola, sin ninguna amiga, por primera vez en la vida y cuando más necesitaba la compañía. Sólo tenía un noviete y me agarré a él como si me fuera la vida. Quería experimentar el amor con Martín y olvidar todo lo que me había pasado. Me decía que no fue nada, un resbalón, una equivocación que no se repetiría nunca más, pero a veces, al pensar en ello, se me nublaba la vista y me quería morir. No me podía concentrar en los estudios, me sentía sucia, añoraba a Eva y creía ingenuamente que enamorándome de Martín podría sentirme limpia. O tal vez no lo pensaba. Lo sentía y lo deseaba y nada más. Me vestía para él y me peinaba para él, pero una vez que se me acercó sigilosamente por la espalda y me besó en el cuello chillé como una loca, como si me hubiera clavado un cuchillo. Hasta yo misma me asusté de mi reacción porque fue instintiva. Sentí pánico, como la primera vez que metió su mano por debajo de mi falda y se la aparté violentamente. Martín se mosqueaba, claro. No eres una chica fácil, me decía, estás cargada de puñetas. Y yo callaba. Por las noches soñaba con él y lo besaba, pero cuando lo tenía cerca y notaba su mano sobre mi piel y su respiración caliente, excitada, sentía un escalofrío y mi cuerpo adquiría la rigidez de la muerte. Me quedaba fría como un témpano e inventaba excusas para salir corriendo. Me costó relajarme y acostumbrarme a su contacto, a sus labios jugueteando en mi cuello, mordisqueándome, cosquilleándome en el lóbulo de la oreja, mientras me susurraba cosas bonitas al oído.

No soporté nunca que me abrazase por la espalda, pero poco a poco fui capaz de adelantarme a sus besos y de sentir placer con sus caricias. Reconozco que estaba enamorada. No tenía derecho, pero lo estaba, o quería estarlo. Y cuando pensé que sí, que todo iba bien, que era una chica como cualquier otra, volvió a pasar. Y esta vez fue definitivo.

Fue en Navidad, por fiestas, y me cogió desprevenida. Estaba demasiado distraída con Martín y no tuve cuidado. Estaba celoso. Lo leía en sus ojos. Me acusó de montármelo con un desconocido, de ser una perra en celo, de ponerle cuernos. Y me pegó hasta dejarme molida amenazándome con explicarlo todo. La escuela fue un infierno, en casa vivía en un infierno, la relación con Martín se convirtió en un infierno y Eva me había enviado al infierno. No era capaz de salir del infierno. Me estaba quemando y no tuve más remedio que dejarme tragar por las llamas. No perdía la esperanza, sin embargo, de salvarme de la mano de Martín o de huir con él, muy lejos, en su moto, con el viento en la cara y sin ningún destino. Intenté hacer el amor con él tres veces, y tres veces huí asustada, hasta que la última de todas, el primer día de vacaciones de Semana Santa, quemé todas mis naves. Quedé con él a solas, en su casa, y me juré que pasaríamos juntos la noche.

Me esperaba con una sonrisa y el escenario a punto. Había encendido unas velas alrededor de la alfombra, había esparcido unos cojines, como por casualidad, y sonaba premonitoriamente *Love is dead* de Tokio Hotel. *We die when love is dead. It's killing me. We lost*

134

a dream we never had. Me ofreció un vaso con una bebida de su invención que, según él, era explosiva. Bebí sin preguntar y en seguida noté un cosquilleo y una alegría contagiosa que me hizo sentir ligera e ingrávida. De pronto recuerdo que cambié la percepción de los objetos, y los colores, y sentí unas ganas locas de reír y bailar. Las ondas de la música se esparcían por todas las células de mi cuerpo, flexible como una caña de bambú, pero él tenía las manos frías, demasiado frías mientras se afanaba en desabrocharme la blusa, y le dije que parara, que no quería, que me dejara bailar un rato, pero no me hizo caso y se empeñó en desnudarme. Grité porque el frío se había transformado en asco. Entonces me lanzó al suelo, sujetándome las piernas y los brazos con violencia, con todo el peso de su cuerpo, y rodamos sobre la alfombra en una pelea desigual. Yo me resistía mordiendo y pataleando, pero me daba cuenta de que él tenía las de ganar. Me desesperé. Aquello no era estar enamorado, aquello no era una historia de amor. Y rompí a llorar con desconsuelo. Entonces, al oírme, él se quedó rígido y fue como si despertara de una pesadilla. Se puso en pie, se retiró el pelo de la cara y me dijo que me fuera. Sí, todavía oigo sus palabras. Lárgate, anda. Me tiró la ropa y el bolso de cualquier manera y me echó en cara con resentimiento, eres una calientabraguetas. Ya en la puerta le mentí diciéndole que era virgen.

Soy mala y sólo me estaba aprovechando de él. Seguramente, no estaba enamorada. Él me dice que no sé lo que es estar enamorada. Que la gente como yo no sabemos amar. Si pienso en ello, me doy cuenta

135

de que Martín Borrás fue una de las equivocaciones más grandes que cometí.

Quise saber qué era el amor y me costó perder a mi mejor amiga.

13. Salvador Lozano

Las piernas le han llevado hasta el piso de Jesús López. No ha sido premeditado, pero ha ido a parar por curiosidad, porque hace días que no se pasa y quisiera dejar el expediente actualizado a Sureda. Una excusa de mal pagador. Entra en el bar de la esquina donde Jesús desayuna cada mañana. El camarero, con camisa blanca y lazo negro de la vieja escuela, comete el pecado de ser del Betis y buscar brega futbolística, pero estas cosas no cuentan para los policías que deben dejar de lado sus aficiones personales. Le ha saludado y lo ha puesto al día. Le ha explicado que ahora Jesús López tiene un trabajillo y que parece más contento. Incluso una tarde lo vio con una chica. ¿Una chica?, pregunta Lozano atragantándose con el café. ¿Cómo era? Pero la descripción lo desanima. Una bomba, una mulatita para mojar pan. Se sentaron aquí, en esta mesa, bien arrimados y riendo mientras miraban libros y fotografías de pintores de ésos, que están zumbados y que pintan las mujeres como si fueran jarrones. A Lozano se le revuelve el estómago. Otra, piensa. Y agradece al del bar su afabilidad. Una vez, hace años, le pidió amigablemente que lo tuviese al día sobre su

137

sobrino Jesús. Mintió diciendo que era un tío suyo, un familiar preocupado por el muchacho, que de tan hosco no explicaba nada a la familia y los hacía sufrir por su salud, algo frágil, y su aislamiento. No es verdad, pero podría serlo. Jesús está chupado, ojeroso y calvo, se le ha caído el pelo a puñados. Da angustia verlo por detrás, con esas clapas que parecen tiña. Por eso el tipo del bar está sorprendido de que sea capaz de hacer reír a una chica joven. Pero Jesús López es un gato viejo, también, y a pesar de su calvicie incipiente sabe cómo activar los resortes de las adolescentes inseguras para ganárselas. Lozano se levanta, paga el café y sale a la calle asqueado por la revelación. Y en el momento en que empieza a chispear y cuando ya ha desistido de sus pesquisas ve pasar su Citroën Picasso polvoriento subiendo Urgel arriba hacia el *parking*. Efectivamente, es el coche de Jesús López. Espera bajo un balcón, simulando que mira el escaparate de una tienda de muebles de madera blanca, y lo ve salir del *parking* con el perro. Es un bóxer malcarado. No ha entendido nunca qué gracia le ve la gente a estos perros con cara de marines ariscos. Jesús López camina más erguido que unos meses atrás, pero no viste mucho mejor. Lleva los vaqueros deshilachados y la camiseta desteñida. Conserva el *look* informal y alternativo que ahora resulta patético. Lozano lo ve meter la llave en la cerradura y subir por las angostas escaleras hacia su estudio, minúsculo y claustrofóbico. Unos minutos después se enciende la luz de la sala, la única habitación exterior, y Lozano deja de mirar hacia arriba e inicia su recorrido habitual, hacia el *parking*. Afortunadamente, no acostumbran a cambiar el personal, piensa mientras deja un billete en la mano del muchacho rumano que ya lo conoce. Y acto seguido le pregunta si últimamente Jesús López saca el coche a menudo y a qué horas. El chico le explica que ahora ha tomado la costumbre de salir cada mañana con el perro. ¿Sabes si van muy lejos? El chico se encoge de hombros. Tarda tres o cuatro horas, a veces vuelve por la noche. Una vez le dijo que tenía al padre enfermo, en Mollerussa, que era un hombre ya mayor y que cualquier día la palmaría. Lozano se lo agradece con una palmadita en la espalda y se marcha.

Ahora empieza a llover y mientras decide si vuelve al bar, detiene un taxi o se acerca hasta el metro, le suena el móvil y contesta discretamente, con voz ronca. Es Lladó, un muchacho eficiente que ya ha hecho el registro de la casa de Martín Borrás que le había encargado. ¡Bingo!, grita. Y el corazón de Lozano se detiene unos instantes. ¿La has encontrado? Está con la mierda al cuello. ¿Cómo? Coca, aclara Lladó. Coca para parar un tren, en la bodega. Lozano se relaja puesto que ya lo sabía. Los gatos viejos ya saben que los tipos como Martín Borrás recurren al dinero fácil y acaban cagándola. Sabía también que en la bodega no encontraría el cuerpo de Bárbara Molina. Informa a los de la Unidad de Salud Pública, dice lacónicamente. Y se le ocurre, una vez dicho, que quizás sea la última orden que da en su vida. Se lamenta de ese final tan brusco. ¿Algo más, jefe? Lozano iba a decir que no, que nada más, pero de pronto se le enciende una luz. Sí. Espera. ¿Por qué no?, se pregunta. ¿Por qué no puede

abusar un poco más de sus subordinados? Entérate
sobre la salud del padre de Jesús López y averigua si
Jesús López ha visitado regularmente a la familia de
Mollerussa los últimos tiempos. Hecho, jefe, contesta
Lladó. Pero quizás no podremos tener el informe hasta
mañana. Localiza a los de Lérida, están a cuatro pasos,
a ver si lo pueden resolver ellos, le sugiere. Ya, lo in-
tentaré, pero es tarde. Lozano sabe que es verdad, que
es tarde, y no objeta. Muy bien, pues pasa el informe
a Sureda cuando lo tengas. ¿Entendido? Entendido,
jefe. Al colgar le queda una palabra en la boca. Lérida.
Lérida. Y él mismo se da cuenta de lo que acaba de
decir. A cuatro pasos de Mollerussa. Llueve pero no le
importa. Está pensando y la lluvia le aclara las ideas, le
lava las ideas preconcebidas. Mollerussa está a media
hora de Lérida. Toma aire. Según la declaración de
Jesús López pasó la Semana Santa en Barcelona, en
el piso de Les Corts, y su esposa declaró que Jesús
no se había movido de casa. Pero ¿y si fue a ver a sus
padres a Mollerussa? ¿Y si mintieron? Tanto da que
no hallasen cabellos de la chica, ni huellas, ni nada
sospechoso en su coche. Jesús López es un mentiroso
profesional que ha vivido oculto media vida dentro
del armario. Se las sabe todas. Podría haberla envuelto
con una manta. En un coche donde se viaja con niños
siempre hay una manta, por si tienen frío. Otra llamada al móvil lo descoloca. ¿Sí?, responde. Esta vez es
Isa, la telefonista. Perdone, pero ha salido tan deprisa
que no lo he visto. Ya sabemos de quién es el número
de teléfono de la chica que ha preguntado por usted,
mientras comía. Corresponde a una tal Eva Carrasco.

140

¿Se lo doy? No, gracias, ya lo tengo, contesta Lozano, extrañado, mientras toma aire.

Demasiadas cosas. Demasiadas cosas para ser su último día de trabajo. Debe de ser un síndrome no explicitado. Se podría llamar Tempus Fugit, por ejemplo. Ha vivido en la oscuridad más absoluta durante cuatro años y ahora, de repente, la luz se filtra por todas las rendijas. Y mientras hace esta reflexión, a lo lejos, hacia el Besós, estalla un rayo que se recorta preciso, exacto, como los que aparecen dibujados en la mano de Zeus en los dibujos de Walt Disney que ve su nieto. El rayo cae cerca de la Sagrada Familia. Al cabo de unos segundos se oye un trueno que hace correr y chillar a unos niños que salen de la escuela y que se refugian bajo los balcones poniéndose las mochilas en la cabeza. Y acto seguido empiezan a caer unas gotas gruesas y frías.

Como si el cielo y él estuvieran conchabados.

14. Eva Carrasco

Eva recoge el estuche, el libro y la libreta, toma la cazadora, se levanta y se marcha de la clase de inglés con una mueca de disculpa dirigida al *teacher*. Da media vuelta y sale. No podía continuar sentada ni un minuto más. Era incapaz de concentrarse en algo tan estúpido como el *should* y el *must*. Bárbara ocupa todos sus pensamientos. Al poner los pies en la calle Villarroel se da cuenta de que llueve, pero le da igual. Camina mojándose, el agua le resbala por la frente, por las mejillas, y le empapa el pelo. El agua le recuerda a Bárbara. No sabía vivir sin agua. Necesitaba lanzarse a una piscina, meterse bajo la ducha o nadar en el mar. Tía, que te desteñirás como Michael Jackson. Sin agua me siento sucia, justificaba Bárbara. Pasa un Nissan Patrol conducido por una pija de Pedralbes y la salpica. Esto ya no le hace gracia y grita ¡Cuidado!, pero la rubia teñida ni caso. Pasa de ella, como Bárbara. ¿Por qué se pelearon? ¿Eran amigas? La historia de Martín Borrás le dolió un montón, pero no fue el motivo de la disputa. Las cosas entre ellas ya estaban estropeadas de antes. Bárbara no le tenía confianza, dejó de ser su confidente cuando Jesús López interfirió. A él sí que le

142

vaciaba el buche y le lloraba. Las amigas se explican las cosas y Bárbara no le explicó nunca lo que pasó aquel verano. Volvió de vacaciones cambiada, no era la misma, no reía, no quería estar con ella, no quería ir a la bolera, no tenía interés por escuchar U2 ni le pedía que le dejara la camiseta de Miami Ink. Y ella insistiendo para averiguar qué pasaba y Bárbara callada como una muerta. Sólo abrió la boca en un tono amenazante para advertirle que hiciera el favor de no meter la nariz en su vida ni de hablar con sus padres de sus cosas a sus espaldas. Estaba exaltada y furiosa. Son buena gente, repetía Eva preocupada, tus padres están preocupados por ti y yo también. Y era verdad, Pepe y Nuria, cada uno a su manera, sufrían por Bárbara. Era natural que si ella era su amiga intentara resolver sus problemas y pidiera ayuda a sus padres. Pero Bárbara levantó la primera barrera entre ambas.

El primer día de curso, en vez de reírse juntas en el pasillo de la etiqueta de Zara que colgaba de la camisa de Jesús López, salió de la clase arrimada a Jesús López y mirándolo arrobada a los ojos. Se largaron charlando, pasando de ella como de la mierda. Hablaban del asedio de Alesia, el rollo para impresionar a los nuevos que siempre soltaba Jesús López. Se metía en el bolsillo a los pringados de tercero que alucinaban con la famosa historia de la conquista de la Galia y la genialidad de Julio César. Una fórmula infalible. Eh, ¿qué tienes con Jesús? ¿Te ligas a los profes ahora? Hablamos de historia, tía. Sí, va y me creo que te interesa la República Romana. Tengo inquietudes, tía, no como tú, que flipas leyendo a Mafalda. Bárbara siempre se defendía atacando. No quería hablar de Jesús, no quería hablar del verano y no era la misma. ¿Qué le pasa a Bárbara?, le preguntó Andrés mosqueado porque Bárbara le había pegado un corte. ¿Por qué suponían que ella lo sabía todo de Bárbara? Creían que había hecho un máster en Bárbara. Y ella venga echar pelotas fuera y fingir que sí, que le controlaba la agenda, para parecer que eran amigas. Y a ti qué te importa, contestaba con una cierta agresividad estilo Bárbara, hay cosas que le pasan a la gente adulta y que los niños no pueden saber. ¿Tiene pérdidas? ¡Que te den! Y ése era el problema, que Bárbara prefería compartir sus cosas privadas con un viejo tarado que con ella, su mejor amiga. Jesús es un tío legal, se defendía Bárbara. Pero le temblaba la voz. ¿Acaso no tenía ojos en la cara? ¿No se daba cuenta de que Jesús era un pervertido que babeaba con todos los culos menores de dieciséis años? No, ella lo creía a pies juntillas, y se creía sus tonterías sobre Fellini, Picasso y Goethe. Vaya empacho de culturilla envuelta a toda prisa para impresionar a las niñas bien. Las anécdotas eran las mismas año tras año, los chistes también e incluso las improvisaciones. Los repetidores lo decían, aunque no era necesario. Se le veía a la legua que era un impostor. Pero Bárbara, tan lista, tan despierta, cayó de cuatro patas y se dejó engatusar por sus piropos. Dime, Bárbara, te escucho. Tus preguntas valen la pena, me obligan a pensar. Bárbara siempre hace preguntas interesantes... Me daban ganas de vomitar los dos. Quizás fingió la tristeza para hacerse la interesante. O simuló una depresión

144

para que Jesús intentara animarla y la llevara a ver la última exposición de Dalí en el CaixaForum. Se le revuelve el estómago.

Pasa frente a la escuela. El agua cae a raudales y se queda atontada bajo el chaparrón contemplando la puerta cerrada, mirando el rótulo Escuela Levante que vio cada mañana durante quince años. Allí conoció a Bárbara con sólo tres años. Se peinaba con dos coletas, llevaba una mochila de Mickey Mouse a la espalda y la invitó a un bocadillo de jamón york delicioso que compartieron mordisco a mordisco. Al finalizar el primer día de clase ya eran inseparables. Parece mentira cómo los niños se huelen unos a otros en busca de afinidades y en seguida encuentran a su alma gemela. Eran como la noche y el día, pero reían por las mismas tonterías y se entendían sin palabras. Bárbara era más osada y más exhibicionista. Bárbara era la loca y ella la cuerda. Tenía que frenarla, pero también sabía poner su disparador en marcha y motivarla a decir tonterías, a poner el chicle en la silla de la profesora, a cambiar las batas de las perchas de los niños, a lanzar garbanzos a los de la mesa enemiga del comedor. Eran uña y carne. Aunque diferentes. A Bárbara le gustaba vestir llamativa, salir a la pizarra y provocar. Decían que formaban la pareja perfecta, la guapa y la fea, la lista y la intelectual, la extrovertida y la tímida, la sensual y la frígida. Porque Bárbara era muy sensual. Desde niña, desde muy pequeña Eva se fijó en que los hombres y los chicos se volvían a mirarla. Por la forma de caminar, de mover las caderas, de bailar o chupar un caramelo. Todo lo hacía con una coquetería infantil e ingenua, pero terriblemente adulta. No necesitaba pintarse las uñas de rojo ni ponerse faldas cortas para enamorar. Bárbara tenía una forma de mirar arrebatadora, el cuerpo flexible, el cabello brillante, y era generosa regalando abrazos, caricias y besos. Siempre estuvieron unidas, muy juntas, piel a piel, sintiendo su olor tibio, el calor de su mano, el latido de su corazón. De niña no hubiera sabido decir dónde acababa ella y dónde empezaba Bárbara. Habían sido un mismo cuerpo y habían compartido una misma alma. Hasta que Bárbara quiso separarse de ella y ser una sola. O peor aún, un apéndice de Jesús López. Entonces fue como si le cortaran un brazo o una pierna con una sierra eléctrica. Fue brutal. No salía de su asombro, le faltaba un pedazo y sintió por primera vez la angustia de la soledad.

Bárbara murió para ella después del verano de los catorce años. Cuesta mucho imaginar a una amiga muerta, sobre todo cuando Bárbara tenía tantas ganas de vivir, pero ella ya la había matado. La traición de Martín Borrás no le importó tanto. Fue un añadido, la confirmación de que Bárbara iba por libre y pasaba por encima de ella, una excusa para tener una discusión puntual y vengarse, soltándole de viva voz que era una cerda y una mala amiga. Pero ya no le hizo tanto daño como el descubrimiento de que Bárbara se entendía con Jesús López y lo prefería a ella. Le guiñaba el ojo, se colgaba de su brazo, le hablaba al oído, haciéndole cosquillas en la nuca con su aliento. Las bocas muy juntas, bocas confidentes, que pugnaban por unirse. Verlos juntos era casi una provocación en la que se

146

adivinaba algo más que la admiración de la alumna por el profesor. Bárbara le sedujo y Jesús como un tonto creyó que la había enamorado con su inteligencia.

Odia a Jesús. Todavía, a estas alturas, le odia. Un tipo cobarde, rastrero, que practicaba el *colegueo* barato, se aprovechaba de las *teenagers* y era de cartón piedra. En realidad sólo era un Narciso enamorado de su voz. Ahora no sabe qué pensar ni cómo imaginarla. No la consigue ver en brazos de Martín Borrás. No cree que eso sea posible, aunque todo es posible. A lo mejor Martín sufrió como ella y la quiso para él solo. Pero sabe muy bien que alguien que tuviera a Bárbara cerca no tendría deseos de buscar otros afectos. Bárbara llenaba, saciaba. Era adictiva, como el chocolate.

Ve luz en la escuela. Alguien que se ha quedado a corregir o que está imprimiendo un examen para el día siguiente. Jesús ya no cita a las alumnas fuera de horas para hablar de sus cosas. Finalmente lo echaron. Y a pesar de todo fue gracias a Bárbara. Le duele reconocerlo, pero la muerte de Bárbara hizo justicia. ¡Y ahora va y resulta que está viva! Y de nuevo la invade el estupor del descubrimiento. ¿Dónde está? ¿Dónde ha pasado todo este tiempo? ¿Por qué desapareció? Y cada vez le parece más absurda la película que se ha montado sobre Martín Borrás y su bodega. Ha sido una estupidez. Allí mismo mientras el agua le chorrea por la nuca, se cobija bajo un portal y marca el número del móvil desde el que la ha llamado Bárbara. Quizás ahora tenga suerte y le diga dónde está, quién sabe. Espera y espera, pero vuelve a salir la voz metálica, impersonal que recita que el móvil está apagado o fuera de cobertura.

147

Da media vuelta y se dirige hacia su casa. Está empapada y ha estornudado dos veces. Camina deprisa y admite que fue injusta con Bárbara. La mató por amor. Porque no sabía vivir sin ella. La borró de su vida antes de que desapareciera y por eso su desaparición real no le supuso ningún trauma. En casa le abre su madre y la regaña por haberse mojado. Le contesta que tiene suerte por tener una hija que se moja y va a casa a cambiarse de ropa porque la madre de Bárbara no puede hacer ni eso. La deja sin palabras y al ir hacia la ducha se da cuenta de que ha dicho exactamente lo que pensaba. Bárbara está viva y su madre ni siquiera está enterada. Quizás se está mojando por cualquier calle de Barcelona y su madre cree que está muerta y enterrada. Eva tiene mal rollo. Creía que dando el teléfono al padre de Bárbara se liberaba de la responsabilidad, pero no. Le quema en la lengua que Bárbara está viva. Quisiera abrir la ventana y pregonarlo a grito pelado, tener el coraje de salir a la calle y buscarla. Y además, concluye, Bárbara la ha llamado a ella para decirle que estaba viva. No llamó a su padre ni a su madre ni a la policía. La llamó a ella. ¿Por qué? Si ya no eran amigas. ¿Por qué a ella?

Suena el teléfono mientras está en la habitación cambiándose de ropa y su madre le acerca el inalámbrico con el auricular tapado y susurra: Es la policía. Eva lo toma inmediatamente, temblorosa. ¿Diga? Al otro lado le responde una voz tranquila, la voz del subinspector Lozano. ¿Eva Carrasco? Buenas tardes, soy el subinspector Salvador Lozano. Hola, buenas tardes, responde tratando de averiguar si la llama porque

148

han encontrado a Bárbara, o porque quiere saber más detalles de primera mano. ¿Y bien? Me has llamado antes porque querías hablar conmigo, ¿cierto? Eva se queda fría. Así pues el subinspector Lozano aún no sabe nada. ¿No le ha ido a ver el señor Molina, el padre de Bárbara Molina?, le pregunta directamente. El subinspector parece sorprendido. Pues no. Que yo sepa no ha pasado a verme. Eva vacila, duda. ¿Qué debe hacer? ¿Le cuenta lo poco que sabe? Que Bárbara está viva y que tiene un número de móvil. Pero recuerda las palabras del padre. Olvídate y déjame mí. La vida de Bárbara está en juego. Y tiene clarísimo que él es su padre, la persona que más ha hecho por su hija, el primer interesado en encontrarla viva. Y se inventa rápidamente una salida airosa. Pues me ha dicho que pasaría a verlo porque tenía que comentarle algo. Él ya se lo explicará, añade para dejar claro que ella no está autorizada a decir nada, que no es cosa suya. Pero el subinspector Lozano da largas antes de colgar y despedirse. Espera, le ruega. Espera un momento. ¿De verdad no quieres decirme nada? No. ¿Tienes alguna información sobre Bárbara? Eva toma aire y se excusa. Ya se lo dirá su padre. Pero el subinspector insiste. Si quieres decirme algo en cualquier momento, aquí tienes mi móvil. Y le da el número de móvil. Eva se despide balbuceando. Si sé algo ya lo llamaré. Y cuelga maldiciendo sus huesos. Se viste de mala luna y mientras se seca el cabello, demasiado reseco, demasiado estropajo, se enfada con ella misma. Ha metido la pata hasta el fondo. Ahora el subinspector Lozano meterá las narices donde no debería y lo estropeará todo. Si

149

Pepe Molina quería discreción para actuar ya no la tendrá. No le extraña que no confíe nada en la policía, cuatro años mareando la perdiz sin encontrar ni una sola prueba para inculpar a Jesús López. Estaba clarísimo que su mujer lo encubría. Estaba clarísimo que fue él quien pilló a Bárbara en Bilbao y se la llevó a Lérida y la mató. Bueno, no la mató, rectifica, pero la hizo desaparecer. Duda. O por su culpa Bárbara huyó. Improvisa. Quizás fue a parar con Martín Borrás huyendo de Jesús López. Hay cosas que no le cuadran. En cualquier caso la manipulaba, la tenía acogotada y estaba con el agua al cuello. ¿Tan difícil era cazarlo con una mentira? ¿Hacerlo cantar? Son unos inútiles. El único que los tiene bien puestos es Pepe Molina. Le dio de leches a Jesús hasta en el carné de identidad, sólo le duele no haber estado delante para verlo. Le rompió la nariz y le hizo saltar una muela. Se lo merecía. Se merecía que alguien lo machacase y le dijera pederasta. ¡Escupid a la cabeza calva de los cretinos!, escribió el poeta Salvat Papasseit con clarividencia. El mundo está lleno de cretinos, pero nadie los sabe reconocer. Y de pronto se queda helada. Recuerda que le ha confesado a Pepe Molina su sospecha infundada sobre Martín Borrás. Un sudor frío le empapa la ropa que se acaba de poner. ¿Qué ha hecho? ¿Por qué lo ha dicho? Lo matará. El padre de Bárbara es capaz de eso y más. Ya se lanzó como una fiera sobre Jesús López, pero ahora, después de cuatro años la rabia que ha ido acumulando es inmensa y lo destrozará. ¿Por qué ha tenido que decir una tontería como ésa? Y lo ve claro y diáfano. ¡Oh no! Lo hará papilla. Por eso no ha ido a

150

ver al subinspector. Quiere actuar de justiciero solitario. Quiere vengarse.

Coge el teléfono decidida y llama a casa de Bárbara. Hablará con Pepe Molina inmediatamente y le dirá que no, que se ha equivocado, que se ha precipitado, que lo mejor sería ponerse en contacto con el subinspector Lozano, que ya está al acecho. Suena un timbre, dos y al tercero salta el contestador. Quizás no están, quizás han salido, o quizás están llamando. No puede esperar de brazos cruzados. Y si antes no sabía estar en la clase de inglés ahora no sabe estar en el sofá de casa. Se levanta nerviosa, coge el paraguas, el bolso, se pone el chubasquero y sale.

Al salir a la calle comprueba que ha dejado de llover y, enfadada, lanza el paraguas al suelo. Una vecina que metía la llave en la cerradura del portal la increpa extrañada: ¿Qué te pasa, Eva? Inmediatamente, recoge el paraguas avergonzada y se hace la misma pregunta. ¿Qué le pasa? Ella no es así, ella no pierde los nervios, no grita, no patalea ni lanza los paraguas al suelo.

Y de golpe, se da cuenta de que está muy nerviosa porque la vida le ha regalado una segunda oportunidad. Puede recuperar una parte de ella misma.

15. Bárbara Molina

Estoy tan nerviosa que no he visto *Friends,* una cita a la que no fallo nunca. En lugar de poner en marcha el DVD me he puesto a caminar en círculos como un león enjaulado. Es lo que soy. Un animal dentro de una jaula, encerrado, prisionero, en manos de un loco que me obliga a hacer cosas que no quiero, que luego, como premio, me da de comer de su mano, pero que cuando menos me lo espero saca el látigo y me azota sin mover una ceja, sin un ápice de compasión. Si me escapara, me dispararía con el placer de los sádicos. Como a una rata.

Abro la nevera y curioseo los *tupperwares* donde guardo la comida de días anteriores hasta que se pudre. Tengo prohibido tocarlos. Es una costumbre que me impuse hace años, después de vivir hambrienta. No sirve de mucho pero me da tranquilidad. Me dije nunca más volveré a pasar hambre, como Escarlata O'Hara en aquella escena en la que levanta la cabeza y toma un puñado de tierra roja de Tara. Pero yo no fui tan fotogénica ni tan heroica, simplemente me privaba de los restos de comida, la clasificaba en pequeñas raciones y las guardaba como un tesoro. Abro un *tupperware* con hojas de ensalada y tomate y me los meto en la boca a puñados, a continuación abro otro con un trozo de pollo frío y me lo trago sin masticar. Quiero aplacar la desazón, borrar la angustia, pero en vez de saciarme cada vez tengo más hambre.

Durante estos tres años me había conseguido adiestrar, como a los leones, a fuerza de escamotearme el alimento. Descubrió que era un arma poderosa y jugó con ella. Y lo que no habían podido los golpes lo pudo el hambre. Me tenía en ayunas, sufriendo, hasta que de pronto venía y me dejaba oler una comida apetitosa. Abría la puerta unos instantes y un aroma de pollo asado, insultante de tan delicioso, se colaba en el sótano y me daba en la nariz. Tener hambre y no poder comer es morir un poco cada minuto, cada segundo. El cuerpo me avisaba de que tenía que luchar para no desfallecer. Me miraba los brazos, cada vez más delgados, las piernas escuálidas, las costillas que se podían contar una a una y el vientre hundido entre los huesos de la pelvis. Me estaba convirtiendo en un esqueleto. Recordaba historias de náufragos que bebían sangre de sus compañeros, de soldados que comían vísceras de los muertos, de supervivientes en la nieve que se habían alimentado de cadáveres. Y no me extrañaba nada, porque el hambre era tan acuciante que cualquier cosa que la aplacase estaba permitida. Habría asesinado por un plato de macarrones. La comida se instalaba en el epicentro de mi vida y se convertía en el motor, en la justificación, en la única obsesión enfermiza. Soñaba con el arroz de los domingos que hacía mi madre, con el plato de sopa que cenábamos los jueves en casa de los abuelos, con los bocadillos de jamón que llevaba cada mañana a la escuela y que a veces tiraba a la basura. Imaginaba vasos de leche y galletas de chocolate. Una vez, desesperada, me puse a cuatro patas y pillé un escarabajo negro. Movía las patas, asustado, quizás olía mi hambre y sabía que acabaría triturado entre mis dientes. Y así fue. Vencí la repugnancia y me lo metí en la boca, pero al sentir cómo se movía y cómo se revolvía pudo más el asco y lo escupí. Tuve arcadas y vomité bilis, un líquido verde y espeso que subía desde el fondo de mi estómago vacío. Me di cuenta de que si era capaz de meterme un escarabajo en la boca cualquier día me cortaría un pie y me lo comería. Entonces, accedí a todo. No quería seguir conviviendo con esa ansiedad permanente de recordar filetes tiernos y platos de patatas inalcanzables, esa debilidad en las piernas y el mareo y la rabia para destruir el bicho y aplacar el dolor. Porque el hambre era como si tuviera un bicho furioso dentro de mí arañándome con sus garras y mordiéndome con sus dientes, reclamando lo que era suyo, día y noche, sin dejarme descansar ni un instante. Y el dolor se mezclaba con el miedo de que Él no regresara y me abandonase en aquel agujero negro con la nevera vacía. Que vuelva, que no me deje morir de hambre, rogaba inútilmente y en silencio. Y me vendí por un plato de lentejas. Nunca mejor dicho. La comida me volvió sumisa y acabó con el sufrimiento. Me convertí en un perrito que lamía la mano del que me llenaba el comedero cada día, meneaba la cola y aceptaba sus caricias por un hueso. Soy una bestia. Y cuanto más lo pienso, más hambre tengo y me zampo todas las reservas. Como con las manos, de pie, y me ensucio los morros de puré de patatas, de mermelada, de judías y pescado y me pongo perdida la camiseta. Seguro que alguna de las cosas que he mezclado en este revoltijo infecto y grumoso está podrida. Quizás lleva semanas en la nevera, pero no importa, cuando vuelva me matará. Más vale morir con la panza llena.

Podría haber llamado a casa. He sido idiota por haber llamado a Eva. Pero al menos Eva no se ha puesto a llorar como mamá. No sabe, le da vergüenza llorar, lo mismo que bailar y enseñar las tetas. Y es cacho tonta porque a los chicos les vuelven locos las tetas como las suyas. Yo le decía: tía, ponte una camiseta ajustada y verás cómo ligas. Pero ella ni caso. A Eva le gustaba ser invisible y pasar inadvertida. Martín ni siquiera sabía su nombre. Es fuerte, porque fue ella quien nos presentó. Sí, esa amiga tuya que no habla, ¿cómo se llama? ¿Habrá estudiado periodismo como quedamos? Eva era tozuda. Una hormiguita trabajadora y responsable con las ideas claras. Más claras que yo. Seguro que ha aprobado todos los cursos, ha conseguido la nota de corte de la *sele* y ahora está en segundo de periodismo. Ya debe de tener el carné de conducir y su madre seguramente le deje su Micra negro. Quizás ha adelgazado y se ha quitado los hierros de la boca y, quién sabe, a lo mejor tiene novio y queda con él para ir al cine y hacer manitas, porque no la veo moviendo el culo por las noches en una disco. Eva no. Quizás hace de monitora del Club Excursionista y prepara los campamentos meticulosamente una vez han acabado las clases. ¿Habrá ido a Londres? ¿A Berlín? ¿A Nueva

York? Hay tantas cosas que me he perdido. No sé cómo es la universidad, no he puesto los pies en América, no me he sentado al volante de un coche ni he ido a un concierto en directo. Un día cualquiera que Él me deje ver la tele la encenderé y encontraré a Eva de enviada especial en Tokio. Aunque para eso tendría que haber superado su timidez. Le daba corte hablar en público. ¿Habrá cambiado? A veces la gente cambia. Sin mí habrá aprendido a desenvolverse, se habrá atrevido a opinar en voz alta y a mirar a los ojos de los demás. Cuando había más de tres personas callaba y, en clase, cuando le preguntaban, se ponía como un tomate. Lo que no sabían los compañeros era que muchas de las ideas que yo exponía en voz alta, porque a mí no me daba vergüenza, eran suyas. Ella era quien pensaba y yo quien charlaba por los codos. Yo le robaba las ideas, era la impostora. Estudiábamos juntas y ella me tenía que explicar las *mates* y hacerme esquemas de naturales y de historia. Eva tenía los conceptos muy claros y sacaba buenas notas en los exámenes escritos, pero cuando se enfrentaba a una prueba oral tartamudeaba, se encallaba y parecía tonta. Yo sabía que de las dos ella era quien tenía la cabeza mejor amueblada y que yo era una tramposa. Por eso, cuando Jesús habló conmigo, a solas, y me dijo que era curiosa e inteligente y que jamás ninguna alumna le había hecho unas preguntas tan brillantes sobre el sitio de Alesia, me sentí importante y la dejé de lado. Jesús era injusto porque Eva había leído a Dostoievski, tocaba partituras de Bach al piano y se leía los programas electorales de los partidos políticos antes de las elecciones a pesar de que no pudiera votar. Tenía criterio sobre el cambio climático y había convencido a su familia para que se hiciesen socios de Oxfam y compraran en tiendas de Comercio Justo. Eva estaba al corriente de la cartelera de cine y había visto películas de Woody Allen y de Coppola que a mí me parecían un peñazo. Pero Jesús, a pesar de saberlo, me prefirió a mí. Me decía que yo era una inteligencia salvaje, un diamante en bruto. Sé que le dolió. Sé que ella hubiera querido estar en mi sitio y que se moría de envidia cuando Jesús me dejaba los libros de Hermann Hesse. La pillé más de una vez espiándonos en la biblioteca, haciéndose la loca y fingiendo que revolvía en las estanterías de ficción contemporánea en busca de un libro que no existía, mientras nosotros charlábamos horas y horas sobre Siddharta. ¿Has entendido algo?, me preguntaba después despechada. Y en aquellos momentos la encontraba profundamente antipática. Esperaba pillarme en falta, desconcertada, pidiéndole ayuda para que me aclarase por favor quién era Proust y qué demonios quería decir la famosa magdalena. Pero no le di el gustazo. Lo buscaba en Google para fastidiarla. Seguro que esperaba inútilmente cada viernes que Jesús la invitara a visitar el Museo Picasso y suspiraba por pasar tres horas delante de las *Meninas* y analizarlas desde todas las perspectivas. Ella no fue nunca. Yo sí. Con Jesús me sentía adulta y por eso nos veíamos a escondidas en los bares del Raval y tomábamos café en lugar de Coca-Cola. Estás colada por Jesús, me reprochaba Eva celosa. Y yo no lo desmentía para hacerme la interesante. Estaba colgada de su sabiduría, que me abría los ojos a cosas que me

157

habían pasado por alto. Le encantaba el cine italiano y vimos juntos películas de Visconti, de Fellini, de Bertolucci, de Passolini. Algunas las entendía y otras no tanto, pero él tenía paciencia para conseguir que nos fijáramos en la belleza de una imagen, el retrato de un sentimiento, la fotografía despiadada de un mundo. Recuerdo *Roma, città aperta,* de Rossellini, y el grito de Anna Magnani cuando detienen a su compañero escuchimizado y lo suben al camión. Anna Magnani me parecía una gorda hortera, pero su grito era tan sentido, tan auténtico, y su amor tan grande y su muerte tan trágica que terminé viéndola *sexy*. Lo que me quedó grabado para siempre, sin embargo, fue el retrato del protagonista de *El Inocente* y su maldad dejando morir al niño de frío. Un tipo que ponía los cuernos a su mujer, se lo restregaba por la cara y, cuando ella se enamoraba de otro, se ponía tan celoso que no la dejaba ni a sol ni a sombra. Entonces, descubría que ella estaba embarazada y la torturaba interrogándola morbosamente acerca del padre. Cuando nacía el niño le exigía que lo odiara, hasta que él mismo lo mataba. Sólo entonces ella se rebelaba y tenía el valor de decirle a la cara que le daba asco. Era mentiroso, era manipulador y posesivo. La tenía fascinada, vampirizada, y ella se lo creía, hasta que se le cayó la venda de los ojos. Me hizo estremecer. ¡Era como Él!

Jesús me hizo descubrir muchas cosas y por eso decidí explicárselo todo.

Sabía que podía fiarme de él. Siempre me paraba en los pasillos y me preguntaba qué me pasaba. Quería saber por qué suspendía las otras asignaturas, por qué

158

estaba triste. Me decía que había hablado con mi tutora y que no sacaba nada en claro. Era sincero y estaba preocupado por mí. Y yo necesitaba desesperadamente a alguien con las ideas claras. Seguro que él tenía un sentido estricto de la justicia y era capaz de discernir lo que estaba bien y mal. Yo, en cambio, tenía un embrollo en la cabeza y me hacía un lío con las cosas que me habían sucedido. Jesús nos había hablado de la corrupción en la antigua Roma y de la cobardía de los seguidores de Julio César que prefirieron matarlo por la espalda antes que enfrentarse a las urnas y a las legiones. Si era capaz de analizar la historia y ver con clarividencia lo que deberían haber hecho unos senadores republicanos en el siglo I antes de Cristo también me podría echar una mano a mí y sacarme de mi atolladero. Mi problema era que no sabía cómo empezar ni cómo continuar. Yo no le había puesto nombre. No tenía palabras. Creía que si no hablaba no existía. Las cosas que no se nombran se olvidan o desaparecen. Por eso me costaba tanto explicárselo a alguien. Me dijo que sí, que me escucharía con gusto. Le rogué mucha discreción y me citó en la escuela, de noche. Estuve pensando sobre cómo plantearía el tema, cómo diría las cosas que me habían pasado y el estupor que me agobiaba y que me hacía sentir tan mal, tan perdida, tan desconcertada. Creí que al tenerlo cara a cara dispuesto a escucharme me inspiraría y que escupiría la historia sin trabas.

Aquella noche estábamos los dos solos, la escuela estaba completamente vacía, a oscuras. Mis pasos resonaban por los pasillos mientras caminaba detrás de él. Me sentía una delincuente por partida doble y tuve deseos de echarme atrás, pero ya era demasiado tarde. No soy supersticiosa pero juro que vi un gato negro saltando del tejado desde la ventana de segundo B. Fue una mala premonición y cuando cerró la puerta del despacho tras él y se me quedó mirando retrocedí y callé. No me gustaba el olor a sudor que emanaba. No me gustaba la luz del despacho. No me gustaba la escuela a esas horas de la noche. Me sentía tan extraña como si hubiera ingresado en urgencias de un hospital. Todo me resultaba desconocido, ajeno, agresivo. Y él también era otro. Me miraba con las pupilas dilatadas y brillantes y se adelantó tomando la palabra y vomitando un montón de tonterías. Me dijo que él era un hombre casado y que entendía que yo me hubiera enamorado de él, pero que no podía ser, que él no me podía ofrecer nada, que él también me quería, pero que yo era menor de edad. En aquellos momentos hubiera querido saltar por la ventana como el gato negro y perderme por los tejados. Y entonces me puso una mano en la pierna, tan fuera de lugar como su voz y sus palabras, y comenzó a acariciarme, pero yo me levanté de un salto, temblando, y rompí a llorar. No podía parar de llorar. Sentía una frustración muy grande. Jesús me abrazó e intentó consolarme, pero yo lloraba más y más fuerte. Estaba desesperada. Y en aquellos momentos pasó lo peor que podía haber pasado. Se abrió la puerta y apareció Remedios Comas, mi tutora, la sargento. Jesús me soltó bruscamente y a mí se me cortó el llanto de golpe. Y el gran Jesús se amedrentó y no se le ocurrió otra cosa que decir

160

que yo le había citado allí porque quería contarle algo personal. Fue muy fuerte. Jesús, acusica, me señalaba chivándose como un niño: ¡Ha sido ella, ha sido ella! Enmudecí y empecé a despreciarlo. La tutora no dijo ni una palabra más alta que la otra, pero su sequedad imponía más que todos los insultos del mundo. Me acompañaron a casa. Nunca un camino se me hizo más largo. En cada esquina, ante cada semáforo, suplicaba que se pusiera en verde y que se acabara aquel suplicio. Me acordé de la pasión de Jesucristo y los pasos de dolor que dicen. Yo llevaba la cruz de la vergüenza por haber confiado en Jesús y por haber descubierto quién era. Me dejaron delante de mi casa con la amenaza, imposible de eludir, de una reunión en el despacho de la tutora al día siguiente.

Esa noche no dormí. Dibujé mentalmente el escándalo y me imaginé la reacción de mi familia. No podía añadir un problema más en mi vida. No podía permitírmelo. Así pues, al día siguiente lloré y lloré ante Remedios Comas y finalmente la amenacé con cortarme las venas. Surtió efecto y me salvé. Y de rebote salvé a Jesús.

El muy desgraciado me dijo secamente que no quería que hablase más con él porque él tenía una reputación y una familia. Me dio la espalda y no me dirigió nunca más la palabra ni en clase ni en los pasillos. En la segunda evaluación, me suspendió su asignatura. Quizás me lo merecía porque había perdido toda la motivación que antes me animaba a sacar sobresalientes. Me dejó claro que si yo abría la boca me machacaría sin remilgos.

Fue un cobarde.

16. Salvador Lozano

El subinspector Lozano ha tenido que pasar por casa para cambiarse de ropa. La lluvia le ha sorprendido a la altura de Gran Vía y Urgel, pero en vez de refugiarse en un portal como hacía todo el mundo se ha quedado plantado en medio del paseo, bajo los plátanos, como un pasmarote. Estaba pensando en la llamada de Eva Carrasco y en la extrañeza que le ha causado su frase enigmática sobre la posible visita de Pepe Molina. Ni que decir tiene que sus evasivas todavía lo han desconcertado más. En un primer momento ha creído, estúpidamente, que Eva, avisada tal vez por la familia Molina, quería despedirse de él y darle las gracias por su dedicación al caso de su amiga. Una estupidez. Nadie da las gracias gratuitamente. Y pensando en la voz de Eva Carrasco y lo que escondía, más que acerca de lo que decía, se ha mojado por partida doble porque las hojas de los plátanos de la Gran Vía, colmadas por el peso de las gotas, se doblaban y dejaban caer el agua a chorro. Y él se ha quedado un buen rato en medio del paseo, embobado y cavilando bajo la lluvia, como un tonto. El traje de la boda del hijo se ha empapado y la corbata de irisaciones rojizas le ha teñido la camisa blanca.

Tras girar la llave en la cerradura ha intentado entrar sigilosamente sin conseguirlo. Su mujer es mejor policía que él. Se quería ahorrar la conversación y sus preguntas indiscretas. Tendrías que haber cogido el paraguas, lo reprende de buenas a primeras. ¿Cómo ha ido el último día?, le ha preguntado a bocajarro. ¿Mucho trabajo? Y le ha dado un beso expectante, de los que inician una conversación. Llevaba el delantal que se pone para cocinar. Le da igual cocinar para uno que para dos, no le da pereza, ya está acostumbrada. Ella ya ha asumido que por la noche cenará sola porque él irá a la fiesta de despedida y no la ha invitado. No quiere que vaya. Sabe que a ella le habría hecho ilusión y que si se lo hubiera dicho con tiempo se habría comprado un vestido y habría ido a la peluquería de buena mañana. La cena de jubilación de su marido, un subinspector de los Mossos d'Esquadra, le habría dado tema de conversación antes y después de la celebración. Un mes de su vida por lo menos. Una ocasión para refrescar los comentarios cotidianos y hacerlos salir de la rutina casera sobre el punto de sal de las judías, el control del colesterol y los dientes del nieto. ¡Cuánto disfrutó con la boda del chico! Tuvo conversación para un año. Pero no la ha invitado y todavía no sabe bien por qué. Tal vez no quiere que ella, con su mirada inquisitiva, vea que ha acabado arrinconado y desterrado por un chavalito de academia. Que los que brindan por él, en realidad, sonríen al nuevo jefe y que aprovechan la ocasión para darse a conocer y hacerle bromitas, porque él ya no les importa un rábano. O tal vez no ha querido que ella fuera porque en realidad no se quiere jubilar y aún no ha digerido que la cena es en su honor, porque se le acaba la vida laboral esa misma noche. Sea como sea, irá solo. Sin embargo, aún no sabe qué hará al día siguiente por la mañana. No ha puesto nunca los pies en un gimnasio, no juega a las cartas ni a la petanca y no tiene amigos de ésos de salir los fines de semana a comer una parrillada. Ha trabajado demasiado y no ha tenido sábados ni domingos para despilfarrar por ahí. No lo siente, pero la mañana siguiente se le aparece como un vacío inmenso y recuerda aquel trampolín de la piscina municipal de L'Ametlla del Vallès donde iba a veces de joven, con los amigos de la Guardia Civil, y que le tenía la moral comida. Subía las escaleras, se acercaba al borde, miraba la piscina, muy abajo, muy lejos, y volvía a bajar. No era capaz de lanzarse. No es ni ha sido nunca un hombre impulsivo y ejecuta sus acciones planificadamente. Pero no ha querido planificar nada para el día después de su definitiva jubilación. Y ahora siente el mismo vértigo que cuando era joven y asomaba la nariz por el abismo del trampolín de L'Ametlla, sin atreverse a dar el paso irremediable hacia la vida de jubilado.

Mañana se lanzará, se dice. Mejor dicho, lo empujarán y se mojará le guste o no. Qué remedio. Tendrá que aprender a ver salir a su mujer de buena mañana, a oír el tictac del reloj de la sala, a comer un plato recalentado frente al televisor del comedor y sacar la basura por las noches. Y se le hace un nudo en el estómago al darse cuenta de que la vida ha pasado demasiado deprisa y que no está preparado. Su mujer tampoco. La

164

nota recelosa. Pronto invadirá su espacio, su tiempo, su libertad. Le molestará su presencia inútil y él no sabrá dónde sentarse para no estorbar, como cuando barre y lo va arrinconando, arrinconando, hasta que a él no le queda más remedio que coger la puerta y salir a comprar el diario. Se sentirá controlada en sus idas y venidas, hablará en voz baja por teléfono para que no la oiga, de repente culpabilizada por hablar demasiado y tener demasiados conocidos. Ella sí que ha sabido construirse un rinconcito en el mundo que nunca se le acabará con un convenio laboral. Todavía no se ha jubilado, pero trabaja hasta las cuatro. Las tardes las ocupa con el *aquagym,* el café y el *bridge* con sus amigas y la familia. Su mujer controla escrupulosamente la vida de los hijos. Muchas noches lo marea cacareando como una gallina clueca las gracias del nieto. Que si ya gatea, que si dice mamá, que si se mete la cuchara solito en la boca. Y siempre tiene fotos y se las enseña. Mira, mira, tiene tu nariz. Pobre chaval. No seas burro, cuando te conocí me enamoré de tu nariz, y pensé mira qué nariz, cuánta personalidad. Es así su mujer, cariñosa, entregada y mandona. Les lleva croquetas a los hijos en una fiambrera, una excusa cualquiera para enterarse de qué series de televisión miran, del sueldo que ganan, de la ropa que han comprado esta temporada o de los nombres de los amigos que los telefonean. Pero lo hace de buena fe y así siempre sabe el regalo que les conviene. Ella observa, calla y apunta. Hubiera sido una excelente policía. Les tenemos que comprar un exprimidor, que no tienen, unas toallas nuevas, que las viejas dan asco, un cochecito para el niño, que el otro se ha estropeado… Su mujer mantiene el contacto con las amigas y la familia y eso es un fuego que siempre arde. A él de la noche a la mañana se le acaba el calor y se queda helado y a oscuras.

Está acojonado. Sí, acojonado es la palabra, y se arrepiente de no haberlo previsto con tiempo y de no haber diseñado una estrategia. Caso Lozano: cómo ocupar las horas muertas de un día de veinticuatro horas repletas de sesenta minutos cada una. Cómo dotar de sentido lo que no lo tiene. Cómo superar la frustración de todos los casos no resueltos. Y se detiene en el punto tres. Es lo que más le duele. Es por eso por lo que no está preparado para la jubilación, porque todavía no ha terminado el trabajo. Suena a excusa, pero su trabajo no se acaba nunca, se dice amargamente. Y de entre todos los casos sobresale el de Bárbara Molina, que de repente ha empezado a vislumbrar desde otras perspectivas, haciéndose preguntas que no se había hecho nunca, y que se reaviva, por sorpresa, a causa de una llamada misteriosa de la mejor amiga de la chica.

Sorprendentemente, porque no se lo esperaba, suena otra vez el móvil. Responde en seguida sabiendo que al día siguiente no sonará más. Es Lladó, un buen chico. ¿Sí? Ya lo he resuelto, jefe, lo he hecho yo mismo, por la cara, llamando, me he hecho pasar por el director de una escuela que tenía interés en contratar a su hijo. Me lo han explicado todo punto por punto. Lozano se siente orgulloso del muchacho a quien ha adiestrado tan bien. ¿Y qué? Pues que es la pura verdad. Que el padre, Ramón López, un campesino de Mollerussa que ahora tiene setenta y un años, se está muriendo

166

y le queda poco tiempo. Jesús López va a verlo cada mañana ya que ahora trabaja por las noches en una academia. Lozano suspira. Otra pista equivocada. Pues gracias. De nada, y si quiere alguna otra cosita estoy de guardia. Me disculpo porque no podré venir a la cena y quería decirle que me repatea que se vaya. El subinspector Lozano simula mucha frialdad y lo exculpa. Empiezo una nueva vida, chico, me tendrías que felicitar. Pues, felicidades, suelta Lladó bruscamente, quizás emocionado. Y cuelga.

El subinspector Lozano suspira mientras se abrocha la camisa amarilla. Buen chico este Lladó. Ha intuido que no se quiere ir y tiene razón. Se está comportando como un niño buscándose trabajillos de última hora. Además, ha ofrecido su móvil a Eva fraudulentamente, en lugar de decirle que se pusiera en contacto con Sureda. Lo ha hecho con tacañería. Se ha olido que Eva quería decirle algo y no la ha querido forzar, pero ha actuado como lo hace siempre, dejando una puerta abierta a la confidencia. El problema es que él ya no tiene la llave de esa puerta y ha hecho trampas. A la mañana siguiente ya no estará en comisaría aunque se resista a dejar el caso y quiera continuar llevando las riendas. Sospecha que la llamada de Eva no es gratuita y que es precisamente la llamada que ha estado esperando durante cuatro años. Ha aprendido a discernir las voces que esconden cosas y las voces que se esfuerzan por decir algo pero no se atreven. Hay que ser cauteloso. Si la hubiera bombardeado a preguntas seguro que la habría amedrentado y la habría echado atrás en seguida. Ha llamado a Pepe Molina en cuanto se ha metido en la boca del metro, pero su móvil estaba fuera de cobertura. Si no tiene noticias suyas volverá a intentarlo más tarde, se dice. Quizás Eva sabía más cosas que las que declaró y por fin el caso comienza a moverse en alguna dirección. Y siente el cosquilleo de las intuiciones que le sube como un calorcillo por el cuerpo y le enrojece las orejas.

¿Estás seguro de ponerte la camisa amarilla?, comenta su mujer frunciendo el ceño. ¿Qué le pasa a la amarilla? Que trae mala suerte. ¿O es que no recuerdas que los actores nunca visten de amarillo? Le fastidia que ahora que ya se la ha abrochado venga su mujer y se la haga cambiar. Yo no soy un actor, replica. Ella no se rinde. Molière murió de amarillo, comenta como quien no quiere la cosa antes de darse media vuelta. Por eso los actores evitan salir a escena con ese color, añade para remachar el clavo.

El subinspector Lozano se queda mirándose en el espejo y, tozudo como él solo, opina que el amarillo le favorece. Mientras se pone la americana y revisa su cartera, se pregunta de dónde demonios saca su mujer todas estas tonterías de *Readers Digest* que le restriega por las narices cuando lo quiere picar. Puede que sea su forma de vengarse por no haberla invitado a la cena, se dice antes de abrir la puerta para salir y darle un beso de despedida.

No es supersticioso. Los policías que juegan con la vida y la muerte no pueden creer en tonterías de este tipo. Si lo hicieran no saldrían de casa porque estarían todo el día pendientes de no pisar las rayas de las baldosas y no mirar por las ventanas para no ver pasar gatos negros

168

por los tejados. Sólo le faltaba que le metiera el dedo en el ojo con la camisa amarilla, resopla en el ascensor, enfadado, ahora sí, porque su conjunto impecable ya no es tan impecable como había creído y sabe que se pasará una parte de la cena dudando sobre la inconveniencia de vestir de amarillo el día de su despedida del trabajo. Procura olvidar el incidente y vuelve de nuevo a Bárbara Molina y a su premonición. Y se le calienta la cabeza en el ascensor, al saludar al del ático, un muchacho informático de Bilbao recién llegado a Barcelona que saca el perro a pasear. Se pregunta por el perro de Bárbara. Se lo regalaron Iñaki y Elisabeth al cumplir diez años, el verano del año 2000. Lo vio fotografiado de cachorrito en brazos de una Bárbara emocionada. Recuerda que contempló largamente esa fotografía fascinado por la forma en que la niña acariciaba al perro, cómo lo besaba, y también por la mirada de su tío Iñaki que la cámara de Elisabeth cazó con la misma precisión que la alegría de Bárbara. Una fotografía turbadora, extrañamente turbadora. La niña, el perro y el tío en una playa del Cantábrico. Las olas embravecidas a sus espaldas y unas nubes amenazadoras en el horizonte que quizás vaticinaban lo que estaba por acontecer. No aportaba nada, pero a veces las fotografías hablan y en la ternura y el afecto casi sensual de Bárbara acariciando al perrito y en la devoción franca del tío había un mensaje oculto que nunca desentrañó. Nuria Solís dijo que el perro le traía demasiados recuerdos de Bárbara y Pepe Molina se lo llevó a la casa del Montseny. Y otra vez, sin intermitencia, las preguntas guardan cola expectantes. ¿Por qué Bárbara Molina fue a Bilbao? ¿Qué esperaba de sus tíos? ¿Qué relación mantenía al margen de las declaraciones de unos y otros? ¿Quién avisó a Elisabeth Solís y a Iñaki Zuloaga?, le había preguntado Sureda esa tarde. ¿Si tenían el móvil apagado o fuera de cobertura cómo y quién los llamó? La pregunta que se le ocurre a continuación es si en realidad llegaron a las islas Cíes. Sinceramente, no podría poner la mano en el fuego porque no hicieron ninguna comprobación. No tenían forma de hacerla. Los creyeron y punto. Y en aquellos momentos le empieza a extrañar que alguien pueda estar ilocalizable durante tanto tiempo. Bárbara desapareció el martes, tomó un autobús y el jueves sacó dinero en Bilbao y las vecinas la encontraron llamando a la puerta del piso de los Zuloaga, desesperada. Eso quiere decir que llevaba dos días enteros intentando ponerse en contacto con sus tíos. Comprobaron sus llamadas en los móviles de Elisabeth e Iñaki. Pero ¿y si Bárbara tal como ha sugerido Sureda tenía otro teléfono? Un despiste, porque lo que le silba insistentemente en los oídos es la posibilidad de que Bárbara sí que los localizara. ¿Por qué no? Es una probabilidad como cualquier otra, va desgranando. La niña los llama al móvil, dan media vuelta y regresan a Bilbao, se encuentran los tres, la meten en el coche y la llevan hacia su casa. Después ya no sabe por dónde seguir, se le escapan cuáles pudieran ser los móviles de los tíos para un crimen de este tipo, aunque los peores crímenes se cometen dentro de las mejores familias, lo sabe muy bien. Pepe Molina tenía argumentos en contra de los Zuloaga y un padre intuye los peligros que corren sus hijos. Lozano abre la puerta del ascensor y deja pasar al vecino de Bilbao que ha

170

inspirado sus elucubraciones. Está alucinado por lo que se le acaba de ocurrir. Eso puede significar que Iñaki y Elisabeth, o uno de los dos, sean el tercer sospechoso del caso. Y esta vez es como si la niebla de Lérida se hubiera desvanecido con el primer rayo de sol de la mañana y le ofreciera un camino para transitar por él y avanzar hacia la cabina salpicada de sangre, el bolso abandonado y las señales de violencia inequívocas.

Investigaron al matrimonio Zuloaga, pero, para ser sincero, no mucho. Ellos eran el final del camino al que Bárbara no llegó nunca. El móvil de su huida era obvio que venía de atrás, de Barcelona, de los padres, del novio, del profesor, de las amigas. Y entonces, se queda sin aliento, porque por primera vez en muchos años puede pensar en una nueva dirección y ver las cosas desde una nueva perspectiva. Exactamente desde un nuevo ángulo. ¿Qué relación la unía con sus parientes de Bilbao? ¿Qué representaba para ella aquella familia con quien pasaba los veranos de niña? ¿Por qué Pepe Molina se peleó con Elisabeth Solís? ¿Y con Iñaki Zuloaga? ¿Por qué Bárbara Molina dejó de ir de vacaciones con sus tíos tras cumplir los trece años? Se anima, está en un momento dulce, conoce estos momentos maravillosos, que son como si hubiera caído un chorro de aceite sobre la mesa y milagrosamente las piezas oxidadas del rompecabezas se deslizasen hasta encajar. Sabe que, si tiene paciencia y va empujando con suavidad hacia aquí y hacia allá, todo cobrará sentido y se hará inteligible. Intuye que está más cerca de la verdad que hace unas horas. Saca el móvil y sin ninguna vergüenza encarga la última tarea a Lladó. ¿Lladó?, disculpa, chico, una ultimísima comprobación. Quiero saber si los Zuloaga entraron y salieron de puerto en Bilbao los días que ellos declararon, si hay alguna forma de comprobar su ruta de navegación y un registro de las llamadas recibidas en sus móviles desde el martes hasta el viernes para detectar si hay alguna repetida, insistente o sin nombre conocido. Lladó calla al otro lado del móvil mientras apunta. ¿Algo más, jefe? Lozano está inspirado. Sí. Ponte en contacto con el veterinario de los Molina y pregúntale por el perro de Bárbara. Qué edad tiene, qué raza, si llevaba chip, la relación con la niña, todo lo que sepa sobre el perro. Lladó da un silbido. Es mucho curro, jefe, y del chungo. No sé si podré terminarlo antes de las doce. Lozano ya lo sabe. Da igual, me llamas cuando lo tengas y yo ya se lo contaré a Sureda. De acuerdo, pues, ahora me pongo, concluye un Lladó animoso. Lozano se guarda el móvil pensando que resulta bastante complicado justificar lógicamente una intuición absurda. El perro es un elemento nuevo, pero es un vínculo con los Zuloaga. No sabe por qué quiere tirar del hilo del perro. A veces las estupideces más grandes lo han llevado hasta la verdad. Ya se sabe, es un gato viejo.

Y de pronto, al salir a la calle, pisar el asfalto y recibir en la cara una vaharada de humo negro del tubo de escape de un autobús que arranca, se deshincha. El tiempo. Se le acaba el tiempo. Ya no tiene más tiempo y Sureda no hará ningún caso del perro ni de los Zuloaga.

Está condenado a convivir el resto de su vida con la duda permanente.

172

17. Nuria Solís

Nuria Solís se ha pasado un buen rato charlando por teléfono con su hermana, Elisabeth. La llama cada día. Se ha convertido en una costumbre que antes compartía con su madre. No ha aceptado del todo su muerte, por un cáncer, hace siete años, pero le consuela pensar que se ha ahorrado el calvario de la desaparición de Bárbara. En una época no muy lejana ella fue madre de Bárbara e hija de Teresa al mismo tiempo. Ahora es huérfana de madre e hija y ya no habla, sólo escucha a Elisabeth, la hermana pequeña, que le da consejos y lecciones y le relata su vida llena de amistades, de retos, de amor, de futuro. Nuria calla y escucha, la escucha siempre porque la voz de Elisabeth es una cucharada de jarabe dulce, con sabor de infancia, un eco de los veranos en que subían a las cumbres del Montseny y comían sandía bajo las parras de la masía mientras el sol calentaba las encinas, de cuando oían cantar a los grillos y el abuelo ponía canciones de Nat King Cole. Cachito, Cachito, Cachito mío. La voz de Elisabeth le calienta el alma, aunque en la tierra donde vive no vean mucho el sol. Créeme, es lo que más echo de menos, le confiesa. Elisabeth es hábil y consigue arrancarle las

173

escuetas respuestas una a una, como hacía ella antes con los pelos de las cejas de Bárbara. Sólo éste, éste y basta, Barbi, y los iba sacando con trampas y artimañas porque se le juntaban en medio de la frente y la afeaban. Nuria a veces se resigna a los interrogatorios caprichosos de Elisabeth. ¿Qué has comido hoy? ¿Te tomas todavía el Diazepan? ¿Has dormido las seis horas que te dije? ¿Has probado con el antifaz? Pero a veces se cansa y la envía a freír espárragos. Como hoy, que no ha tenido paciencia. No te quieres, Nuria, le reprocha su hermana. Tienes que mirarte al espejo, tienes que tener vida propia. Piensa en algo que te haga ilusión, un viaje con los gemelos, una obra de teatro, no sé, algo que te motive. Cuando Elisabeth entra en el territorio de las consignas y los consejos de manual de autoayuda, busca una excusa para colgar y ahorrarse el rifirrafe. Elisabeth es así, simple y cartesiana, se dice para disculparla, cree que las fórmulas para vivir son infalibles y que todo se arregla con proyectos laborales, viajes exóticos y cenas nocturnas. La perdona porque es joven, ingenua e inocente y en realidad, aunque crea lo contrario, no sabe de la vida la mitad. Ni siquiera sufrió la enfermedad de la madre a pie de cama. No vivió la devastación de la quimioterapia, la pérdida de la cordura, el miedo en sus ojos ante la inmediatez de la muerte. Elisabeth llegó cuando estaba en coma, lloró y dijo que no lo podía soportar. Y ella cargó con la muerte de la madre y el sufrimiento de la hermana sobre los hombros. A eso se le llama transferencia. Elisabeth le transfirió su pena y ella la aceptó y la acarreó sobre sus espaldas. Quizás el dolor acumulado pesa y termina

174

por aplastar la resistencia de cualquiera. Por eso ella está apegada a la tierra y llora y se hunde mientras que Elisabeth flota volando entre las nubes, y la tierra, de lejos, le parece un juguete. Elisabeth se ahorra el dolor y vive en una asepsia permanente de juventud eterna. Sin hijos, sin padres, sin responsabilidades. Juega a novia enamorada, a chica de pandilla, a tía simpática, a estudiante traviesa, a aventurera de veranos. Y le va bien. Por eso no mide las palabras y de vez en cuando se va de la lengua y deja caer palabras envenenadas que corren por las venas, como un cáncer maligno, hasta llegar al corazón y matarlo. Como cuando le contó lo de Bárbara. Palabras afiladas como cuchillos que la hirieron tanto que estuvo dos meses llorando, negándose a hablar con ella, sin responderle al teléfono, sin explicárselo a nadie. Hasta que Elisabeth se presentó en su casa arrepentida por haber hablado, le pidió perdón y le rogó que lo olvidaran. La perdonó a medias y no lo ha olvidado. Fue un trago amargo que pasó a solas, como siempre.

Nuria se mete en la ducha. Necesita agua para refrescarse y despertar del atontamiento de las pastillas. Tiene que hacer la cena para los gemelos, va pensando mientras se desnuda. Pepe no está, así que aprovechará para cocinar una verdura de patata, judías verdes y guisantes con la olla exprés y unas pechugas de pollo rebozadas que descongeló la noche anterior. Ya no guisa, sólo cocina cosas fáciles, rápidas. Cenarán los tres con la tele encendida, en la cocina, así el silencio no se hará tan espeso. Y luego tomará como cada noche la chaqueta y el bolso y se irá a trabajar al Clínico y durante las diez horas de su turno todo quedará en *stand by*.

Mientras está en la ducha y deja que el agua se deslice por su cuerpo y le lave la tristeza, le parece que suena el teléfono. Pero no se inmuta. Da lo mismo. Después ya averiguará quién ha llamado, ahora que está bajo la ducha y se lava el cabello con un champú que huele a manzana fresca se siente limpia, vivificada. Bárbara también se metía en la bañera cuando le decían que era mala. Creía que así se volvería buena. Siempre le dijeron que era mala y le quedó como etiqueta desde muy pequeñita. No sabe quién empezó ni cómo, pero Bárbara nunca fue inocente y crédula como Elisabeth, que de niña se lo tragaba todo. Era retorcida y puñetera, hablaba con segundas, bautizaba a todos con motes y hacía trampas a las cartas. Eso es sucio, le decía Pepe, siempre tan estricto. Eres mala. Y Bárbara se metía en la bañera y le rogaba que le enjabonase la cabeza para no ser sucia. No distinguía todavía entre ser y estar. Todo iba en un mismo paquete. Lady Macbeth, la apodó Eva, más intelectual, cuando le cogió la obsesión por ducharse. De adolescente fue una locura. El último año, antes de desaparecer, se pasaba horas bajo el agua y se cambiaba de ropa hasta tres veces al día. Un semestre pagaron una factura astronómica y Pepe se puso fuera de sí. ¡Bárbara, sal de la ducha, no estás sucia!, le gritaba Nuria cuando Pepe no estaba, desde la puerta del baño. ¿Y tú qué sabes?, le respondía Bárbara con retintín. Tú no sabes nada. Bárbara era mala y ella estaba desautorizada.

Los únicos que desmentían esta versión eran su

176

hermana y su cuñado, quizás por eso ella los prefería. Sí, lo admite. Durante un tiempo tuvo celos de Elisabeth e Iñaki. Estaba dolida con su hermana. Cuando nacieron los gemelos, un junio bochornoso, se llevaron a Bárbara de vacaciones para hacerle un favor, tenía cuatro añitos solamente. Volvió enamorada de sus tíos y los veranos en el norte se convirtieron en una costumbre. Bárbara pasaba el mes de julio con Elisabeth e Iñaki. Ellos no tenían hijos, eran más jóvenes y hacían vacaciones escolares. Disponían de todo el tiempo del mundo para Bárbara y salían a navegar con el velero. Iñaki le enseñó a nadar, a pescar y a llevar un timón, y Bárbara se adiestró en los secretos del mar. Bajo el mar hay montañas y acantilados muy, muy profundos, les explicaba a su regreso. ¿Sabías que si coges las medusas con la mano no te pican? Nuria la escuchaba boquiabierta. Había vivido siempre de espaldas al mar. Era una mujer de montaña que había coronado el Puigmal, la Pica d'Estats y el Aneto. Sabía ponerse unos crampones, clavar un piolet, encordarse y bajar de una pared haciendo *rappel*. Pero el mar le daba pavor. Lo percibía demasiado grande y la inquietaba nadar en alta mar temiendo que algún bicho desconocido se enredase en sus piernas o la atacara. Bárbara era mucho más valiente que su madre y tenía un pie en cada mundo. Triscaba peñas arriba los agostos y en julio se zambullía en las profundidades marinas con los ojos bien abiertos y la curiosidad que le supo transmitir Iñaki. El día que pescó una morena con un arpón y la sacó solita del agua los llamó entusiasmada y los tuvo una hora al teléfono dándoles unas explicaciones que habrían hecho palidecer de envidia cualquier documental de La 2 sobre la vida de las morenas. Nuria podría haber escrito una tesis doctoral. Iñaki vibraba de entusiasmo. ¡Esta niña es un diamante en bruto! Se veían poco, pero se querían. Era evidente. Las comparaciones eran odiosas y Bárbara los comparaba a menudo con sus tíos y eso, poco a poco, fue minando la relación porque, sin quererlo admitir del todo, Nuria sentía celos por no ser tan fresca, tan enrollada y tan juvenil como su hermana y por temer que Bárbara un día no muy lejano elegiría a Elisabeth como confidente mientras que ella se quedaría al margen, convertida en una madre severa y aburrida. A Pepe, por supuesto, nunca le habían hecho ni pizca de gracia aquellas vacaciones marinas y desgranaba uno a uno los peligros de tener a Bárbara durante un mes fuera de casa. ¿Tu hermana y tu cuñado no le pueden poner un bañador?, gritaba al principio, mosqueado por el moreno integral de la niña. ¿Tiene que ir enseñando el culo por el mundo? Pero el bañador que ella pidió discretamente a Elisabeth que le pusiera no arregló en absoluto las cosas. Esta niña vuelve hecha una salvaje, decía cuando volvía Bárbara del norte, más deslenguada, más rebelde, más espontánea, como si se le hubiera contagiado el espíritu de la Francia revolucionaria que visitaban a menudo con el velero. La tormenta, sin embargo, estalló con la pubertad. Con doce años Bárbara ya medía lo mismo que ella y a pesar de su delgadez empezaban a apuntarle los pechos pequeños y redondos y a sombrearle el pubis. Ni Pepe ni ella estaban preparados para este cambio tan repentino, tan precoz. La explosión hormonal de

178

Bárbara lo precipitó todo, y lo que hasta entonces Pepe había consentido por tratarse de una niña se convirtió en una catástrofe que le cayó encima como una bomba. Se acabó. ¡Nunca más, me oyes!, gritó Pepe el verano que Bárbara, con doce años, volvió de Bilbao. No quiero que mi hija participe en orgías. Nuria creyó que no lo había oído bien. ¿Orgías?, repitió incrédula. ¿De qué orgías hablas? Y Pepe, apocalíptico, se puso en pie y la acusó con el dedo índice. ¡Tu hermana y su marido la llevan a drogarse y a emborracharse en pelotas a la playa en compañía de una pandilla de degenerados! Nuria recuerda bien aquella frase rebuscada y expresamente demagógica. La recuerda porque se le quedó grabada. Pero no la recuerda por el valor de la frase en sí misma, lo que le sorprendió es que el hombre con quien se había casado fuera capaz de elaborarla, de creérsela y decirla. Intentó serenarse y poner las cosas en su sitio. No podía dejar que Pepe, como hacía siempre, rebautizase el mundo, porque las palabras acaban por dotar de significado lo que no lo tiene. Los degenerados son amigos suyos, compañeros de la universidad, familias con niños, hombres y mujeres adultos, profesores. No van en pelotas, van desnudos porque son playas nudistas, practican el naturismo, todos excepto Bárbara porque tú se lo prohibiste. Y beben cerveza como tú y como yo porque se llevan bocadillos a la playa y comen juntos. ¿Qué más? Lo soltó como una ametralladora. ¡Ah sí! Las drogas. Quizás alguien, al ponerse el sol, se fuma un porro. Iñaki lo hace, no lo niego, yo también lo hice alguna vez de joven, aunque a ti te moleste, añadió. Pepe contraatacó,

179

ciego de ira. Me importa una mierda el trabajo que tengan y la pasta que ganen, no tienen moral, no tienen ética y Bárbara es una mujer aunque ella no lo sepa y tú no lo quieras ver. ¿Es que no tienes ojos en la cara? Ellos sí y bien que la repasan de arriba abajo y tal vez le hacen fotos y todo. No quiero que mi hija vaya a una playa llena de gente desagradable que lo enseña todo ni que navegue sola en compañía de un hombre en pelotas que se droga y que la mira demasiado. ¡No me fío! Nuria Solís tuvo que sentarse y abanicarse de la vergüenza que le subía por el rostro. Era demasiado fuerte para aguantar de pie el chaparrón de acusaciones que caían sobre ella, porque el hombre degenerado y sin ética, Iñaki, era su cuñado, y Elisabeth, la mujer desagradable y que lo enseñaba todo, su hermana. Casi los únicos parientes que tenían, puesto que Pepe no se hablaba con sus padres ni con su hermano desde hacía años. Lo habían tratado muy mal, decía, y él había decidido cortar por lo sano y alejarse de ellos. ¿Y ahora pretendía hacer lo mismo con su familia? Eso sí que no, le exigió repentinamente envalentonada. Pídeme perdón por decir esas tonterías de Iñaki. No lo haré, se obcecó Pepe. Iñaki no es quien crees, yo he visto cómo mira a mi hija y te puedo asegurar que no la ve como a una niña. Nuria Solís acababa de enterrar a su madre hacía apenas cuatro meses, pero el trance de aquella noche fue mucho peor. Fue el primer relámpago que anunciaba una tormenta larga, la adolescencia de Bárbara, y las profundas diferencias de criterio con su marido. El escándalo tuvo un final muy desagradable. ¡Bárbara!, gritó Pepe. ¡Ven aquí inmediatamente!

180

Bárbara, asustada por el tono de voz autoritario del padre, se presentó sin rechistar. Y entonces Pepe hizo algo que ella recordará siempre. Agarró el camisón de Bárbara y lo rasgó de arriba abajo, violentamente, dejando al descubierto sus pequeños pechos morenos y su pubis sombreado. Toda ella bronceada de arriba abajo, sin ninguna marca de bañador en ningún lugar. ¡Mírala bien! ¿La ves ahora? ¿Te das cuenta? Bárbara se tapó avergonzada y rompió a llorar, no le costaba demasiado. Todo el mundo iba desnudo, yo era la única que tenía que llevar bañador y me daba rabia, lloriqueó. ¿Cuántas veces saliste a navegar sola con Iñaki?, la interrogó con acritud Pepe. No lo sé, no me acuerdo, gimió Bárbara sin saber hacia dónde iban los tiros ni cuál era el delito del que se la acusaba. ¡Ponte un pijama y vete a la cama!, ordenó Pepe, tras su actuación estelar, apoteósica.

Nuria esa noche tiró la toalla y reconoció que no veía bien. Había desenfocado las cosas y tal vez Pepe, mucho más paranoico, fuera el contrapunto a su ceguera. Nunca creyó que las salidas en velero con Iñaki estuvieran teñidas de morbosidad, pero ver a Bárbara desnuda en medio del comedor, con aquella camisa blanca desgarrada y la extrañeza en sus ojos, color de miel, le permitió visualizar una estampa de erotismo infantil que seduce a los pervertidos. Tan tierna, tan bonita, tan ingenuamente mujer sin pretenderlo.

Lloró sola, en el sofá. Durmió sola, en el sofá. Y a la mañana siguiente, con los ojos rojos y la decisión tomada, le comunicó a Pepe que Bárbara no iría ningún verano más al norte, pero que no romperían las relaciones con su hermana y su cuñado bajo ningún concepto. Ella ya inventaría una excusa que sonara natural. Era la única familia que tenía y no quería perderla. Lo que vino después, sin embargo, fue mucho peor. Fue la confirmación de que las cosas con Bárbara iban torcidas y de que ella no tenía el coraje para enderezarla.

Sucedió en la primavera siguiente, cuando decidió comunicar a Elisabeth que Bárbara no pasaría las vacaciones con ellos. Había ido retrasando el momento para no tener que mentir. No sabía cómo se tomaría la versión que había ideado sobre la necesidad de Bárbara de estar con sus padres y hermanos. Evitó entrar en detalles groseros. Efectivamente, Elisabeth, al saber que tenían otros planes para Bárbara, se lo tomó fatal y se atascó en una frase enigmática. Si lo dices por lo que pasó, ya lo hemos olvidado. ¿Qué pasó?, preguntó entonces Nuria, repentinamente curiosa. Vamos, mujer, que nos conocemos, respondió Elisabeth picada. Sabes perfectamente de qué te hablo. No, no sé de qué me hablas, dejó muy claro Nuria. Os lo ha dicho Bárbara, ¿verdad? Bárbara no nos ha dicho nada, afirmó Nuria, definitivamente intrigada. ¿Y por qué habéis cambiado de opinión?, soltó Elisabeth. Nuria se puso nerviosa. No sé de qué estás hablando Elisabeth, haz el favor de ser más clara. ¿De verdad que no os ha dicho nada Bárbara? De verdad. Pues así no hace falta que os hable yo de ello. Y entonces fue Nuria quien explotó. ¡Haz el favor de decirme de una vez qué pasó! Está bien, transigió su hermana resignada, como si le obligara a decir cosas que no deseaba oír. Pero de eso ya hace tiempo y quizá no haya que sacar las cosas de quicio.

182

¡Elisabeth, vomita ya y no te excuses más! Y Elisabeth habló con una vocecilla recatada, miedosa. Una noche, hace cuatro años, cuando Bárbara tenía nueve, regresamos de navegar muy cansados. Iñaki se duchó antes que yo y se metió en la cama; yo, creyendo que Bárbara ya estaba dormida, me lavé la cabeza tranquilamente. Al salir de la ducha, me quedé helada. Bárbara se había metido en nuestra cama y estaba, estaba... ¿Estaba qué?, la interrumpió Nuria Solís angustiada. Estaba haciendo cosas extrañas, dijo Elisabeth con un hilo de voz dándose cuenta de repente que no sabía cómo explicar lo que vio. ¿Qué cosas extrañas? Habla claro, Elisabeth, si no hablas claro no nos entenderemos, exigió Nuria. Recuerda que a Elisabeth le costó decirlo porque no encontraba las palabras, pero las encontró. Estaba seduciendo a Iñaki. ¿Qué?, gritó. ¿Cómo puede una niña de nueve años seducir a un hombre adulto? ¿Te has vuelto loca? Elisabeth desde el otro lado le pedía calma. Por favor, tranquilízate. Me has preguntado y yo te he intentado responder, pero no es fácil. ¿Qué hacía exactamente?, preguntó Nuria Solís a punto del ahogo. ¿Qué decía? A Elisabeth se le rompía la voz. Decía que lo quería mucho y lo tocaba. A Nuria Solís le temblaron las piernas ese día. Se tuvo que sentar. A ver, ¿me estás diciendo que una niña que se abraza a su tío y que dice que lo quiere mucho lo está seduciendo? Sí, afirmó rotundamente Elisabeth. Tú no la viste, añadió dejando claro que no pensaba dar más detalles pero que lo que vieron sus ojos era intraducible en palabras. Nuria tragó saliva y se atrevió a preguntar: ¿E Iñaki? Iñaki le cogía la mano y le decía que no, que eso no se hacía. Nuria Solís se quedó aturdida sin saber qué pensar, a quién creer, qué imaginar. Imaginó muchas escenas sórdidas y las borró instantaneamente de la cabeza. ¡No es verdad!, dijo de repente. No es verdad lo que me dices. Elisabeth la defendió. No lo hizo nunca más, te lo juro, lo habría visto en alguna película, debía de haber malinterpretado cómo se quiere a alguien, ya sabes, sexo por amor, una confusión. No le dimos importancia, de verdad. ¿Y por qué no me lo dijisteis? ¿Y por qué no me lo dijo ella? Por eso mismo, se defendió Elisabeth, para no darle más importancia, para que no hiciéramos un problema de una tontería. ¿Una tontería?, estalló Nuria Solís. ¿En qué quedamos? Elisabeth, contra las cuerdas, terminó de cantar. Estuvimos planteándonos si era necesario explicarlo y llevarla a un psicólogo, pero valoramos que no, que no queríamos preocuparte a ti ni crearle culpabilidad a ella. Era una niña. Nuria recuerda que días después miraba a Bárbara con ojos temerosos porque las palabras de Elisabeth le estaban emponzoñando los pensamientos y le hacían descubrir a una mujer bajo la piel de su hija. Una mujer extraña, distante, sensual, que le ocultaba cosas, que tenía secretos que ella desconocía. Se obsesionó hasta el punto de tener miedo de perder el oremus y enloquecer. En lugar de Bárbara veía a un monstruo. Hasta que dijo basta y se convenció de que no era verdad y de que Elisabeth se lo había inventado como venganza. Se mentalizó de que no había oído nunca las palabras de Elisabeth y de que la historia oscura que su hermana le relató a medias y que ella no había visto no ocurrió. Se alegró

184

de la decisión acertada de Pepe de cortar las relaciones de Bárbara con los Zuloaga y no lo comentó nunca con nadie, ni siquiera con el subinspector Lozano. Sin embargo, a estas alturas, todavía no lo ha podido asimilar. Como tantas y tantas cosas.

Nuria Solís se seca el cuerpo con la toalla hasta que su piel enrojece. Cuando recuerda esos episodios del pasado se irrita tanto que desea hacerse daño. Una vez, por pura desesperación, se dio un cabezazo contra la pared. Habría continuado si no hubiera sido porque Pepe la detuvo. ¿Estás loca? ¿Quieres matarte?

La muerte debe de ser dulce, piensa a veces.

18. Bárbara Molina

El móvil me quema en las manos. No sé qué hacer. He eliminado la llamada de Eva, ya no existe, y cuando llegue le diré ten, te has dejado el móvil, pero no te preocupes, no he podido llamar porque no hay cobertura. Pruébalo tú mismo si quieres. No vale la pena, pienso a continuación, no vale la pena decir mentiras. No sé qué pasa ahí fuera, no sé con quién habla, lo que controla y lo que no. Sólo sé que estoy en sus manos y que cuando vuelva lo adivinará todo y me matará.

Ya no tengo hambre, me vienen arcadas y se me revuelve el estómago al pensar en lo que me caerá encima. Sé que es el miedo a morir. Y sé también que la única forma de superarlo es mirándolo a la cara y levantando la cabeza, como los condenados a la guillotina que subían al cadalso bien erguidos y antes de perder la cabeza gritaban «*Vive la France*». Jesús decía que a veces las cabezas rodaban hacia la cesta hablando y que eso se debía a que la sangre aún circulaba y permitía que las órdenes que había dado el cerebro se ejecutaran. La guillotina siempre me ha dado pánico, aunque dicen que es un invento moderno, muy humanitario, porque proporciona una muerte dulce y rápida. Esto, claro, es una afirmación teórica, lo comentan los que no han muerto y lo dicen de oídas, sin haber pedido nunca la opinión a un cadáver despedazado. ¿Qué tal la muerte? ¿Ha sido rapidilla? ¿Ha sufrido mucho? A saber si los ojos siguen viendo y el cerebro continúa pensando y si no hace daño como dicen los listos o hace un daño que te mueres. Tengo un escalofrío. Aquí no hay hachas ni guillotinas que me puedan separar la cabeza del tronco. Mejor. Él me matará con el revólver como mató a Bruc delante de mí. Ahora verás lo que te puede pasar si te haces la lista… Y por su tono de voz supe que iba en serio. No pude abrazar a Bruc por última vez. Él tampoco se olía lo que le esperaba unos segundos después a pesar de que recuerdo que le lamió la mano y movió la cola. Oí el disparo con los ojos cerrados y no lloré, pero le pedí que se lo llevara, que no lo quería ver muerto. Limpié su sangre del suelo, guardando su última imagen para mí sola, y despidiéndome en silencio, sin aspavientos. Lo hizo para demostrarme que me podía matar como a un perro si hacía falta, que sabía disparar y que el revólver, un Smith & Wesson 38, era de verdad. Tal vez las balas me harán más daño, pero no me darán repelús. Los condenados a fusilamiento valientes también miran hacia los cañones que apuntan y algunos incluso piden quitarse la venda de los ojos y gritan algo bonito antes de morir. Yo no tendré una muerte como las que inmortalizó Goya. No moriré por la Independencia, ni por la República ni por la Libertad. La mía será una muerte inútil.

Pues bien, me digo, si haga lo que haga voy a morir, antes me vengaré de él. Y siento cómo los retortijones del estómago se relajan y dejan de atormentarme. He tenido una buena idea. Jugaré con él. Él también tiene miedo, lo leo en sus ojos a veces. Miro el móvil, repentinamente animada. Le esconderé el móvil y le haré sufrir hasta que lo encuentre. Frío, congelado, frío, tibio, huy, otra vez frío. Caliente. ¡Que te quemas! Sí, pienso. Verlo a cuatro patas haciendo el ridículo y tanteando con la mano sucia debajo de la cama será mi venganza. Así me reiré un poco antes de irme al otro barrio. Y de pronto se me ocurre una idea mejor. ¡Ya lo tengo! Me marcaré un farol y diré que he llamado a la policía, que se lo he explicado todo y que llegarán de un momento a otro. Y a cada momento fingiré que oigo ruidos y susurraré: Qué lástima, es demasiado tarde, te han pillado, ahora sí que has pringado. Después de matarme a mí te tendrás que pegar un tiro. Esto funciona, me ha funcionado siempre. Mirarle a los ojos y decirle: no me da miedo morir. Pero da lo mismo. Suspiro. Él encontrará la manera de fastidiarme los últimos momentos y de amargarme la muerte. Es así de cerdo. Siempre lo ha sido.

Dejo el móvil encima de la cama, decepcionada. Me he deshinchado. No vale la pena comerme el tarro. Estoy en sus manos y no tengo escapatoria. Por eso no abrí la boca, porque es un falso disfrazado de buena persona y se las sabe todas. Mamá no me hubiera creído ni media palabra y decidí que no valía la pena explicárselo porque lo empeoraría todo. Antes, sin embargo, la puse a prueba. Le dejé descubrir cosas y, tal y como me imaginaba, se hizo la tonta y miró hacia otro lado. Era cobarde y no podía fiarme de ella. Me encontró las pastillas. ¿Era tan idiota como para creer que estaban ahí tiradas por casualidad? No. Se lo estaba poniendo en bandeja de plata para que se diera cuenta. Pero quien no quiere ver no mira. Tampoco me miró demasiado el día que me vio el cuerpo lleno de moratones y las heridas de los brazos que me había hecho yo misma para aplacar el dolor que sentía. Aquella tarde dejé la puerta del baño abierta incitándola a que entrara, se lo puse a huevo. Pero mamá se asustó y no llegó hasta el final. Hizo ver que se tragaba lo primero que le solté, que me había caído de una moto, y no insistió demasiado a pesar de que la bola era tan grande que no se la habrían creído ni los gemelos. Era cobarde. No me apoyó ni quiso darse cuenta de lo que ocurrió aquel verano. Y yo, hecha polvo. Por mi secreto, por mi desconcierto y por la indiferencia de los que me rodeaban.

Yo nunca había sabido que ese tipo de caricias que Él me hacía no eran correctas. Para mí eran tan naturales como un abrazo, un beso o un apretón de manos. Yo era una niña y Él era un adulto. Los adultos por naturaleza sabían lo que hacían, y nos enseñaban a nosotros, los niños y las niñas, lo que estaba bien y lo que estaba mal. Él me dijo que eran una muestra de su amor por mí, un juego nuestro, un momento que sólo Él y yo compartíamos en secreto. Era nuestro secreto y no podía hablarlo con nadie. A veces no me gustaba lo que me hacía y entonces cerraba los ojos y pensaba en otras cosas. Pensaba que estaba jugando con Eva o que me metía dentro de un sueño. Hasta que en la escuela nos hablaron de sexo y los chicos empezaron a contar chistes y las amigas me hicieron confidencias y las revistas y las fotografías corrían de mano en mano. Entonces fue cuando empecé a entender que aquello no estaba bien y empecé a sentirme mal y a esquivarlo cuando se me acercaba. Me encerraba en la ducha, ponía una silla en la habitación y cuando me llamaba a su lado o quería estar conmigo a solas me buscaba una excusa. Jugábamos al gato y al ratón y a veces tenía que disimular para que no se enfadara. Pero o bien intuyó que yo estaba hecha un lío o bien él mismo se quedó asombrado al descubrir de un año para otro que ya no era una niña. Y nos alejamos. Dejó de interesarse por mí y a pesar de todo me dolió porque significó que ya no me amaba como antes. Ya no sonreía al mirarme, ya no quería estar conmigo, ya no me halagaba, ya no me compraba helados ni me contaba chistes ni decía que era lista y guapa. Dejé de ser la niña de sus ojos, su niña.

La primera vez que usó la fuerza me cogió desprevenida. No me lo esperaba. Fue tan repentino que me costó entender lo que había pasado, y las consecuencias, y lo que vendría después. Fue el verano que tenía catorce años. Un verano largo y aburrido con muchas horas para llenar. Mis amigos estaban fuera, Eva había ido de colonias y a mí no me habían dejado. Por ello, la propuesta del viaje fue un soplo de aire fresco. Los dos solos, un par de días, en coche. Me lo dijo mamá y no me lo podía creer. ¿Estás segura de que ha sido idea de papá? Mamá estaba muy contenta de aquella

190

propuesta inesperada. Le hacía tanta ilusión como a mí porque a ella le gustaba ver a la familia unida. Yo le haría como de ayudante, de copiloto o vete a saber. Él tenía un compromiso de trabajo en el sur y yo no tenía clases ni obligaciones, así saldría de Barcelona y rompería la rutina de pelearme con los gemelos y de ver la tele. Fuimos por la costa de Levante, hacia Granada, los dos solos. Me parece recordar que por la noche el aire olía a jazmín y el viento quemaba. Teníamos buen rollo, comimos gazpacho y pescaditos fritos en un chiringuito de Almería y me llevó a una playa preciosa, una playa nudista de arena blanca en el Cabo de Gata. Nos bañamos juntos en el mar y me hizo fotografías. Esa noche me prometió que al día siguiente estaríamos en Granada e iríamos a ver la Alhambra y los jardines del Generalife. En el hotel nos dieron la habitación que teníamos reservada para los dos y pillé al recepcionista guiñando el ojo al chico de las maletas. Tal vez habían creído que yo era su novia. Y me reí de la confusión. El resto de los detalles no los recuerdo bien. No sabría decir si la habitación era grande o pequeña, si era blanca o estaba empapelada de flores, si tenía mesa o sofá. Quizás lo he borrado de la memoria porque ha habido tantas noches que ya no sé cuál fue la primera. Yo dormía y de repente noté un peso en la cama, a mi lado, y sus manos sobre mí, acariciándome. No digas nada, te quiero mucho. Pero yo me asusté y entonces sus manos se crisparon y me agarraron con violencia. Sé que me quedé rígida, sé que lloriqueé porque no quería. No llores, es muy bonito, ya verás. Me hizo daño y la cama quedó manchada de sangre. Al día siguiente yo no me atrevía a mirarlo y no sabía si había tenido una pesadilla o si me lo había inventado, pero al levantar la sábana y ver la mancha de sangre él también palideció. Di que te ha venido la regla, ordenó secamente, como si no hubiera pasado nada.

Me metí en la ducha y me estuve horas bajo el chorro de agua. Me sentía sucia, muy sucia y cuanto más me lavaba más sucia me sentía. Estaba segura de que todo el mundo se daría cuenta, de que lo llevaba escrito en la cara, de que al salir de la habitación me señalarían con el dedo y me dirían mala, mala. Pero nadie se dio cuenta de nada y él me hizo jurar que no lo explicaría nunca porque nadie me creería. Y yo no dije nada porque creí que no volvería a pasar y porque quería olvidarlo. Ojalá hubiera hablado, ojalá lo hubiera cacareado a los cuatro vientos. Ahora no estaría aquí dentro esperando la bala que pondrá fin de una vez a lo que empezó una noche en Almería.

Nunca he visto la Alhambra y moriré sin conocerla. Me la suda.

19. Eva Carrasco

Eva baja apresurada por la calle Muntaner. No sabe muy bien dónde va, pero cada vez está más irritable, más inquieta. Le fastidia ver ante sí un bulldog que se acuclilla en medio de la acera y hace sus necesidades. Lo lleva de la cadena una mujer elegante con un abrigo color crema que simula mirar hacia otro lado. Una vez el perro ha terminado, la mujer no se agacha con una bolsa y sigue paseando el bulldog, impasible. Los sobrepasa para perderlos de vista y mira lejos, hacia el mar invisible que se intuye al fondo de la neblina de Barcelona, y se pregunta qué estará haciendo el padre de Bárbara. Teme que haya cometido una tontería. Pero no sufre solamente por lo que le pueda suceder a Martín Borrás. En realidad no se resigna a quedarse al margen. Bárbara la ha llamado a ella, la ha elegido a ella y no puede dejarla tirada otra vez. No basta con advertir a Pepe Molina que no se precipite y que se olvide de su información equivocada. Eva quiere estar allí cuando encuentren a su amiga, porque necesita hacer algo para librarse del mal rollo que arrastra desde hace cuatro años y porque Bárbara le ha pedido claramente «ayúdame».

Se serena un poco, se detiene y saca el móvil del bolso, pero no le gusta hacer llamadas desde la calle. Entra en un bar, pide un cortado y se sienta en una mesa de mármol junto a la ventana. Marca con cuidado, poco a poco, número a número para no equivocarse, en eso es muy cuidadosa, siempre teme confundirse y no soporta tener que pedir disculpas. Por lo menos, los gemelos deberían estar en casa, se dice para darse ánimos mientras oye la primera llamada del timbre. Suena el segundo timbre, el tercero, se desanima y sabe que saltará otra vez el contestador, pero no. ¿Diga? Es la voz de Nuria Solís, la madre de Bárbara. Suena un poco más fresca, como si estuviera lavada. Hola, soy Eva. Unos instantes de sorpresa y la voz le responde. ¿Hola, Eva, has olvidado algo? Eva tartamudea y está tentada de decirle que sí, que ha olvidado explicarle que su hija está viva. Pero calla y en lugar de darle la noticia pregunta por el padre. ¿Está Pepe? La voz parece decepcionada al descubrir que no cuenta, asumiendo que es sólo un trámite, un puente entre el padre y la amiga. No, ha salido por trabajo, responde la madre. Eva intenta que todo sea natural. ¿Me podrías dar su móvil? Tengo un asunto pendiente con él. Suena fatal. Incluso queda feo. Debería haber pensado alguna excusa.

Sin embargo, Nuria Solís no pregunta. Ya está acostumbrada a percibir misterios y silencios a su alrededor y a sentarse en la esquina de mesas a las que no ha sido invitada. Un momento, perdona, es que no me lo sé de memoria, dice disculpándose. Y Eva abre rápidamente el bolso y encuentra un bolígrafo, pero no tiene ningún

194

papel, sólo la agenda, y no quiere ensuciarla. Un chico con la cara llena de granos le sirve el cortado, es muy negro, con demasiado café, y ella le hace un gesto con el boli pidiéndole un papel para apuntar. El chico no la entiende. Parece estúpido. Un papel, necesito un trozo de papel, le dice explícitamente. Desde el teléfono la voz de la madre de Bárbara le habla. Ya lo tengo, ¿tomas nota? Un momento, ruega Eva ajetreada. Se ha levantado y ella misma ha cogido una servilleta de la mesa de al lado. Se vuelve a sentar rápidamente. Sí, ya, dime. Y la voz de la madre de Bárbara le dicta un número lentamente, como si le costara leer, como si no estuviera acostumbrada. Mientras Eva lo apunta sospecha que le resulta familiar, que quizás ya tenía ese número. ¿Puedes repetirlo?, le pide para asegurarse. Y la segunda vez que Nuria Solís canta el número Eva nota cómo le da vueltas la cabeza, hasta que de repente pega un grito, abre el bolso torpemente y se le cae el móvil al suelo. Abre su agenda y busca ansiosa la página donde ha apuntado el móvil desde el que le ha llamado Bárbara. No puede ser, se dice comparando un número con el otro. Me he equivocado. No puede ser. Es imposible. Pero los números coinciden. ¡Eva! ¡Eva! ¿Estás bien?, se oye lejana la voz de Nuria Solís, que se ha asustado al oír su grito y el golpe del móvil rebotando contra el suelo, y tal vez cree que iba por la calle y ha sufrido un accidente. Eva se agacha, coge el móvil de debajo de la silla y le ruega con la voz quebrada: Vuélveme a decir el número de móvil de Pepe, por favor. Mientras comprueba uno a uno que los números sean efectivamente los mismos, nota cómo la sangre le baja a los pies y el rostro palidece. Tiene un vahído y está a punto de desmayarse. Ahora no, ahora no puedo perder el sentido, se repite. Y nota que la sangre vuelve a fluir poco a poco y se repone a tiempo para exclamar impetuosamente: ¡Bárbara me ha llamado desde este número de teléfono esta mañana!

La frase le ha salido sola. No ha podido reprimirse. No ha sabido callar más. Es demasiado fuerte para guardárselo. Y en seguida, al imaginar el estupor de Nuria Solís, añade: ¡No te muevas, voy inmediatamente! ¡Sobre todo no te muevas!, insiste. Se levanta y sale sin probar el cortado. Ya en la puerta se gira un momento, se saca un euro del bolso, lo lanza hacia el chico alelado y sale corriendo como una loca. No tiene ojos en la nuca, pero está segura de que el chaval no ha cogido la moneda, no tiene suficientes reflejos.

TERCERA PARTE

El mal de Molière

20. Nuria Solís

A Nuria Solís le resuena en la cabeza la frase que se repite una y otra vez. Bárbara está viva, Bárbara está viva, Bárbara está viva. Y quiere gritar y quiere saltar y quiere reír y quiere llamar a Pepe para explicarle que su hija está viva, hasta que se detiene y repite incrédula la segunda parte del mensaje de Eva. Bárbara ha llamado desde el móvil de Pepe. Y al principio no lo entiende. No lo puede comprender, no puede abarcar la complejidad de la interpretación de estas palabras aparentemente sencillas. No tiene las claves para desencriptar esta última información. ¿Desde el móvil de Pepe? ¿Cómo ha llegado el móvil de Pepe a manos de Bárbara?, se pregunta descolocada. ¿Dónde está Bárbara? ¿Dónde está Pepe? ¿Qué hilo los une? ¿Es una broma? ¿Pepe ha encontrado a Bárbara y no le ha dicho nada? ¿Y por qué Bárbara ha llamado a Eva en lugar de llamarla a ella? ¿Cómo se come eso? No consigue atar cabos y durante unos instantes está a punto de enloquecer, hasta que de repente, como si se electrocutase tocada por un rayo, tiene una iluminación trágica. ¡Pepe, Pepe, Pepe! Se agarra la cabeza con ambas manos y la mueve con desespero. Quisiera arrancarse la cabeza, los ojos, las orejas. Su vida entera se ha derrumbado en un segundo. Repentinamente, todo ha cambiado. No puede respirar, se ahoga, el aire no le llega al pecho, se lleva la mano al cuello y siente la vena latiendo descontrolada. No puede ser, no puede ser, se repite incrédula. Pero es.

Y de pronto todo cobra sentido y poco a poco se va encendiendo la luz de los recuerdos y va iluminando los rincones oscuros. Ha sido ciega y sorda y no ha querido ver lo que tenía delante. Un Tranximezin, necesito un Tranximezin, se dice temblorosa corriendo hacia el baño, tropezando con la pared y manoseando el botiquín. El espejo le devuelve la imagen de una mujer asustada que necesita una pastilla para asumir que ha sido cobarde y que no sabe encajar la verdad. Se deja caer sobre la taza del váter, abatida, y llora. Recuerda la tristeza de Bárbara aquel verano, al regreso del viaje a Granada con Él, su silencio, su mutismo, los anticonceptivos dejados ante sus narices, su obsesión por lavarse, las puertas cerradas y los exabruptos, los «tú no lo puedes entender, mamá» y sus heridas en los brazos, y los morados en todo el cuerpo, y sus notas. Y se arranca un puñado de pelo sacudida por el llanto.

Recuerda los celos de Pepe y su obsesión por el cuerpo de Bárbara, por el alma de Bárbara, por Bárbara. ¡La miran, la tocan, la quieren, la desean, me la quitarán, es mía! Siente impotencia. Entonces ve unas tijerillas encima de la balda y tiene el instinto de clavárselas para amortiguar el dolor que siente adentro. Como hizo Bárbara. ¡Bárbara! Bárbara está viva y la necesita, le susurra su conciencia. Pero yo no puedo

200

ayudarla, le espeta Nuria ahuyentándola como hace con las pesadillas. Es demasiado tarde. Es un despojo y ya no sirve para nada. Le ha fallado siempre. La perdió de niña, cuando nacieron los gemelos. Me casaré con papá cuando sea mayor, decía Bárbara, y ella reía como una boba. Quiero que me bañe papá, exigía Bárbara por las noches. Papá y yo tenemos muchos secretos que no te diré nunca, dejaba caer Bárbara niña. Las uñas se van clavando en su carne mientras recuerda y recuerda. Recuerda volver de su turno de noche, cansada, y encontrarla en la cama, dormida a su lado. ¿Tenías miedo? Miedosa, más que miedosa. Interpretaba ella estúpidamente. ¡Déjame! ¡No te importo nada! ¡Te da lo mismo lo que sienta!, le reprochó años más tarde antes de huir. Y ella no lo entendía. No lo entendió nunca. Fue una idiota complaciente, una idiota cobarde, una idiota anulada por él. ¿Por qué se ha ido?, se repetía una y mil veces. ¿Qué le he hecho? ¿Qué le ha faltado? ¿Qué no he sabido darle?, se ha preguntado a lo largo de estos cuatro años. Y ahora, de golpe, la pregunta es todavía más aterradora. ¿Por qué no la protegí?

¿Desde cuándo, Bárbara? ¿Por qué no me lo decías, mi niña? ¿Por qué no me pedías ayuda? Calla, Nuria. Vete, Nuria. No te metas, Nuria. No seas ridícula, Nuria. No sabes nada, Nuria. Eres un desastre, Nuria. Me das pena, Nuria. ¿Tú te has visto, Nuria? Eres patética, Nuria. Déjala, Nuria. Siéntate, Nuria. Duerme, Nuria. Aparta, Nuria. Me das asco, Nuria. Estás enferma, Nuria. Eres una histérica, Nuria. Eres idiota, Nuria.

¡Bárbara, lo siento! Gime en silencio, hundida, incapaz de reaccionar, de levantarse, de pensar. Sólo sabe que necesita tomar alguna pastilla y coge un frasco al azar, sin mirar siquiera la etiqueta, ¿para qué? El dolor que siente es tan profundo que lo necesita entero. Se las tomará todas, hasta dejar de sufrir. Y la proximidad de la paz la tranquiliza. Destapa el frasco con impaciencia, se lo acerca a la boca, echa la cabeza atrás, se llena la boca de pastillas y sabe que dentro de unos instantes la angustia desparecerá para siempre. Pero tiene la garganta seca y no puede engullirlas. Se atraganta, se ahoga, tiene espasmos y una arcada le sube garganta arriba y vomita. La imagen que le devuelve el espejo es la de una mujer con la cara azul, empapada en sudor, los cabellos pegados a la frente, los labios resecos y las cuencas de los ojos ennegrecidas. Y se estremece mientras levanta la cabeza despacio, asombrada. ¿Quién es esta mujer que me mira?, se pregunta de pronto. ¿Quién soy yo? ¿Cómo me llamo? ¿Dónde está Nuria Solís? ¿Dónde está la chica risueña, la mujer emprendedora, la madre soñadora? ¿Dónde está?

Pasan los segundos, o los minutos, o las horas. Pasa el tiempo, inexorable, mientras ella permanece muda e inmóvil radiografiando el reflejo de aquella mujer extraña que hay delante y escudriñando los ojos vacíos que la miran sin verla. No la reconoce. No sabe quién es. Hasta que la visión se enturbia y le parece entrever los ojos de Bárbara, la nariz de Bárbara, la boca de Bárbara. ¡Bárbara! Grita desaforadamente golpeando el espejo con tanta fuerza que se rompe. Los pedazos se esparcen por la pila, por los azulejos del baño, y su fisonomía se desmenuza y desaparece. ¡No te vayas, Bárbara! ¡Vuelve! Grita fuera de sí.

¡Mamá! ¡Mamá! ¿Qué te pasa? Nuria Solís se queda paralizada. Mamá, ¿te has hecho daño? Los reconoce. Reconoce las voces. Son los gemelos, que se han asustado al oír el estropicio y sus gritos. Nuria se queda tensa, repentinamente al acecho, como un felino antes de saltar. Respira agitada, sin reaccionar. ¡Mamá! ¡Mamá! Nuria los oye y se da cuenta de que la llaman desde el mundo real. Y sus voces la arrastran. ¡Mamá! ¿Avisamos a un médico?

Nuria, mareada, se pone en pie con dificultades y descubre que se ha roto el espejo, que está en el baño, que estaba a punto de cometer una barbaridad y que sus hijos están asustados. ¡No es nada! Se ha roto el espejo, pero no me he hecho daño, responde con una voz que la sorprende. Es su voz y le resulta extraña. Al oírla se queda admirada. Controla su voz y las cosas que dice. Sabe que tiene que preservarlos, que no pueden verla en este estado porque son frágiles. Y poco a poco empieza a darse cuenta de que existe. En seguida salgo, no os preocupéis, añade. Bárbara también está viva, como los gemelos. Piensa. Está viva, se repite incrédula. Viva. Bárbara está viva y necesita a una madre viva.

Nuria Solís ha tocado fondo y quiere salir de la oscuridad. Podría haberse quedado acurrucada en el fondo del pozo, inmóvil, pero se obliga a mover los dedos, los párpados, los brazos, las piernas. No sabe cómo, pero ha encontrado la voluntad que de joven la empujaba a subir montañas y a trepar peñas arriba. La voluntad que Elisabeth le envidiaba. La voluntad que enamoró a Pepe cuando se conocieron y que creía perdida. Ahora me levantaré, se dice voluntariosamente, me lavaré la cara, tranquilizaré a los gemelos, me vestiré y saldré a buscar a Bárbara. Y su voluntad oxidada se pone en marcha como un engranaje antiguo, en desuso. Se levanta lentamente y se lava la cara con agua fría, bien fría, y se seca con cuidado las gotas que resbalan por su cuello. Toma aire una vez, dos, y luego coge la caja del Diazepan, del Tranximezin, del Valium y los antidepresivos y de todas las porquerías que ha tomado durante estos cuatro años y las va vaciando escrupulosamente en la taza del inodoro. Las cápsulas de colores quedan flotando, amontonadas las unas sobre las otras, atascadas. Y cuando tira de la cadena y el agua las arrastra tubería abajo es como si tirara de la cadena de su vida y comenzara a liberarse de Él. Tómate las pastillas, son por tu bien. Él la quería así, inútil, sumisa y acabada. Él le cortó las alas, le pulverizó la autoestima, la fue carcomiendo hasta destruir su alma. Ya no tiene alma, es una mujer vacía, un envoltorio hueco, un fantasma. Le fallan las fuerzas y no se atreve a girar la manilla de la puerta para enfrentarse a la mirada de sus hijos. Venga, se dice. Ahora te toca pensar, decidir, actuar.

Nuria Solís ha reencontrado su voluntad, pero percibe que es una voluntad debilitada, enferma, porque él la manoseó en exceso. No, se dice. No, no sé, no puedo, ya no recuerdo qué significa tener deseos, sueños, retos, compromisos. Y busca desesperadamente en su interior el motor que la hará funcionar sin desfallecer. Quiere deshacerse de él, de su maltrato, de sus desautorizaciones, de sus manipulaciones groseras. Necesita desesperadamente un motivo para recuperar la fe en sí misma. Le queda poco tiempo y tiene que despertar de la pesadilla, salir a la vida, caminar sola y enfrentarse a él sin miedo. Y lo encuentra. Se agarra con fuerza a su tabla de salvación.

Bárbara está viva, se dice de repente, su niña está viva y la necesita.

21. Bárbara Molina

Dicen que a M.ª Antonieta, la reina de Francia que se cargaron los *enfants de la Patrie,* el cabello se le volvió blanco en una sola noche. También dicen que en el momento de morir la vida pasa entera ante tus ojos, como una película en cámara rápida. No me veo el pelo, no tengo espejos, pero es posible que sea blanco desde hace tiempo. Y el tráiler de la película de mi vida que yo había censurado también lo veo aunque no quiera. Será que la muerte se acerca.

Aquella Navidad volvió a suceder. En plenas fiestas, con la familia alrededor, con el árbol lleno de lucecitas y paquetitos envueltos en papeles de colores. En la comida bebió, lo noté. Comió poco y bebió mucho. Y me miraba a mí y a tío Iñaki, ahora al uno y ahora al otro, y le decía: ¿Verdad que está guapa Bárbara? E Iñaki contestaba que sí, que ya era toda una mujer. Había bebido mucho y le apestaba el aliento. Y cuando ya se había marchado todo el mundo y mamá se despidió porque tenía que trabajar, tuve un presentimiento. ¿Hoy también tienes que ir a trabajar? Sí, bonita, qué remedio, si supieras las pocas ganas que tengo… Era un mal agüero. Me pilló en el pasillo, antes de que pudiera

206

meterme en la habitación y encerrarme con llave. Me arrastró hacia su dormitorio, que quedaba más aislado y lejos de donde dormían los gemelos. ¿Qué has hecho con Martín Borrás?, me soltó empujándome contra la pared. ¿Qué te has dejado hacer? No sé cómo conocía su nombre ni cómo sabía que a mí me gustaba y que nos veíamos, pero estaba al caso de todo. ¿Y con Jesús López? ¿Te crees que me chupo el dedo? ¿Quieres que te diga lo que eres? ¿Quieres que te lo diga? Porque tengo ojos en la cara y he estado viendo cómo coqueteabas con Iñaki. ¿También te has tirado a Iñaki? Se me abalanzó y como me negué y le dije que no quería y le supliqué que me dejara, me pegó, me pegó tanto que perdí el conocimiento y desperté dolorida y atontada en mi cama. Tenía el cuerpo lleno de moratones. Sin embargo, él ya me había lavado, me había puesto yodo, me había cubierto el cuerpo de Tantum y me despertó con una infusión. Estaba lloroso y desesperado y se le había evaporado la borrachera. Lo siento, me decía, lo siento mucho, bonita, no quería hacerte daño, pero he perdido la cabeza. Si mamá lo supiera, me denunciaría y me meterían en la cárcel y ella no te lo perdonaría nunca. Tú no quieres dañar a la familia. ¿Verdad que no quieres eso? Y se vino abajo, arrepentido, tan acabado que sentí pena por él y callé, aturdida, confundida.

Un mes después, cuando ya me había medio recuperado y estaba confiada, esperó a que se marchara mamá y que los gemelos se fueran a la cama y puso el pie en mi puerta antes de que yo la pudiera cerrar. Yo estaba horrorizada. Bárbara, bonita, no quiero puertas cerradas en esta casa. ¿No ves que aún tengo más ganas de entrar? Juegas conmigo, ¿verdad?, sabes que te quiero mucho, que me haces perder la cabeza. Sólo quiero preservarte y que no te pase nada. Eres ingenua y no controlas porque a ti te gustan estas cosas. Y mientras me hablaba, me acorralaba contra la cama. Yo estaba paralizada de miedo y me susurró que, si mamá se enteraba, él le diría la verdad, que yo le había incitado, que en el fondo lo deseaba, que desde muy pequeña lo buscaba porque era mala. Y que mamá se moriría del disgusto. No quería matarla, ¿verdad?

Y ése fue el principio del fin. Vivía con el alma en vilo cerrando puertas detrás de mí, inventando mentiras, marchándome de casa siempre que podía. Buscaba salvarme en los brazos de Martín Borrás o en los museos con Jesús López. Incapaz de estudiar, avergonzada de mí misma, sin amigas y sin nadie a quien explicárselo. Por eso desterré a Eva y la alejé de mí, porque era cómplice de mi padre. Eva le adoraba y le admiraba, él ya se había ocupado de comerle el tarro y predisponerla en mi contra. Jamás me hubiera creído. Intenté sincerarme con Jesús y fracasé, probé a hacer el amor con Martín Borrás y no pude. Cada vez me sentía más sucia y más aislada. Acabarás mal, eres una perdida, vas por mal camino, me decía Él, mesiánico, profético, con los ojos echando fuego. Yo aguantaba y aguantaba sin decidirme a dar ningún paso, estropeando más y más las cosas, precipitándome al desastre. Hasta aquella noche del sábado.

En el mismo momento en que Martín Borrás me tiró la ropa a la cara y me echó de su casa sentí que había perdido la última posibilidad de encontrar una

208

salida. Todavía estaba mareada por lo que había bebido, no sé qué me había puesto en el vaso pero lo veía todo desenfocado y tenía una conciencia difusa de mi cuerpo. Escuchaba la música de Maroon 5 *She will be loved*. Y quería llorar porque la vida era una gran mentira. La calle estaba oscura y no sabía dónde ir, al pasar frente a un bar entré y me senté en la barra, sola. En seguida se acercaron unos chicos. Sé que acepté sus invitaciones, que bebí con ellos, que tomé cosas, que salimos juntos de aquel garito y que la noche fue larga, disparatada, que reía por todo y no controlaba nada. No sé muy bien qué pasó pero sí sé que acabé sucia, con la ropa rasgada y los ojos ausentes en una esquina de la Ronda de San Antonio. Caminé horas y horas dando tumbos, perdida, mientras los camiones del ayuntamiento regaban la ciudad dormida y el sol comenzaba a apuntar tímidamente. Me sentía forastera en mi ciudad, forastera en mi vida y no sabía qué rumbo debía tomar para volver a casa, puesto que no quería volver a casa. Estaba asustada de mí misma y de mi incapacidad para controlar. En una sola noche había rodado por la pendiente y había caído muy abajo. Apestaba como los contenedores de basura del mercado llenos de pescado y carne podrida. Sentía asco de mí misma, me avergonzaba de mis actos y necesitaba a alguien que me pusiera límites y me dijese lo que estaba bien y mal. Él me había advertido y tenía toda la razón. Era mala.

Y entonces decidí huir. Huiría sin decir nada a nadie e iría a casa de Elisabeth e Iñaki, los únicos que estaban lo suficientemente lejos y que no creerían a papá. Los tíos sí que me escucharían. Mamá no era capaz, ya no confiaba en ella, estaba demasiado anulada, él la tenía dominada. Lo preparé todo, les entregué las notas, aguanté el chaparrón y a la mañana siguiente dejé unas líneas escritas y cogí el autobús hacia Bilbao. No había querido llamar a los tíos antes para que Él no se interfiriera. Estas cosas no las podía decir por teléfono. Y fui tonta, porque cuando llegué a su casa no estaban y no contestaban al móvil. Volví una y otra vez y pasé dos días en Bilbao, perdida y desanimada, hasta que la tercera noche él me encontró saliendo del portal de los tíos. Me había pillado y en aquellos momentos bajos pensé que era inevitable, que era mi destino. ¿Estás loca? Te está buscando la policía. ¿Sabes qué fregado has organizado? ¿Cómo se te ha ocurrido?

Me metió en el coche muy serio. Esto se ha acabado, Bárbara, me comunicó. Yo no abrí la boca. Él tampoco añadió nada más y condujo en silencio. Su silencio era mucho más amenazante que todos los gritos y los golpes. Al pasar por Lérida me preguntó si tenía hambre y yo le dije que sí. Y fue en ese momento de descuido suyo, al darse cuenta de que había olvidado la cartera en el coche, cuando corrí y llamé a mamá desde una cabina. Pero la moneda se atascó y él se puso furioso y me rompió la nariz y me provocó una hemorragia. Al regresar de nuevo a la carretera, sin el bolso, limpiándome la sangre con un pañuelo, le pregunté con un hilo de voz: ¿Qué harás ahora? Tú te lo has buscado. No puedes ir por el mundo pisoteando a los demás porque no tienes medida, no tienes control. No te hemos educado bien, Bárbara, tu madre no ha sabido educarte, te ha dejado hacer tu santa voluntad y lo que necesitabas era mano dura, dijo él. Quiero volver a casa, le pedí. No puede ser, tú misma te has cerrado esa puerta. La policía hará preguntas, tú hablarás y todo se sabrá. En ese instante yo vi claro que era él quien había cometido un delito y no yo. ¿Entonces?, añadí. No lo sé, me cortó bruscamente. Pero le hervía una idea oscura. Lo vi en sus pupilas, en la forma como se agarraba al volante, en el gesto duro de apretar los dientes. Juré que no, que no abriría la boca, que no lo sabría nadie. Pero él no me creyó y me reprochó que me delataban mi nariz, mi sangre, el bolso abandonado. Me has estropeado la vida y la reputación. ¿Querías denunciarme, eh? No, mentí. No me has dejado otra alternativa, murmuró con los ojos turbios. Me di cuenta de que me hablaba en serio de morir. Ciertamente, yo tampoco veía ninguna otra salida posible, pero no sé cómo, dentro del coche, saqué fuerzas para suplicar por mi vida. Fue un impulso desesperado que me salió de dentro. Y se lo repensó. Hay una solución…, dijo enigmáticamente. Quizás, quizás sea la manera de convertirte en una persona, de reeducarte, de sacar la bestia que llevas dentro. Yo entonces no sabía qué idea era y, visto desde mi perspectiva, quizás hubiera sido mejor que me matara.

Oigo el ruido del motor del Passat. Es él. Ya está aquí. Esta vez no tendrá piedad. Tengo miedo. Mucho miedo. Pero seré valiente y miraré la muerte a la cara.

22. Salvador Lozano

El matrimonio Zuloaga mantuvo una larga conversación con Nuria Solís el viernes veinticinco de marzo del año 2005 a las diez y doce minutos de la mañana, ha informado rutinariamente Lladó al todavía subinspector Lozano. Así pues fue ella quien finalmente los localizó y los avisó de la desaparición de Bárbara. Previsible. Sin embargo le sorprende la información acerca del perro de los Molina. Bruc, un labrador que ahora tendría nueve años, está muerto desde hace tres y medio. Es lo que el veterinario le ha dicho a Lladó. El veterinario no llegó a ver el cadáver. Pepe Molina le contó que murió atropellado al poco de llevarlo al Montseny y que él mismo se deshizo del cuerpo. Es extraño, porque Nuria Solís más de una vez y de dos le ha dicho que Pepe Molina estaba en la masía dando de comer al perro. ¿Por qué Nuria Solís no está enterada de la muerte del perro? ¿Para no afectarla? ¿Y por qué Pepe Molina miente diciendo que le lleva comida si en realidad no tiene nada que hacer en la casa del Montseny? ¿Va allí o va a algún otro sitio? ¿Tiene alguna amante, algún negocio sucio, algún secreto? Salvador Lozano piensa deprisa mientras simula agradecimiento

212

y emoción. Le gustaría estar ante su mesa, con la carpeta de Bárbara abierta, el ordenador conectado y el teléfono a mano. Pero está en el restaurante de su cena de despedida, muerto de calor, y busca algún punto de fuga del apretado comedor para descansar la vista y escabullirse visualmente de la multitud. Al fondo a la derecha hay una ventana, pero está cerrada a cal y canto y la sensación de claustrofobia es tan intensa que se afloja el cuello de la camisa desabrochando el botón superior para no ahogarse. La ropa le tira y el sudor le chorrea por la frente. Está demasiado gordo, piensa. Se seca con una servilleta de papel disimuladamente y responde al saludo de un agente recién llegado. Ni siquiera lo conoce de nombre. Habituado a comer solo o acompañado silenciosamente por su mujer, no se acostumbra a estar compartiendo mesa con treinta personas más. Y él en la cabecera, con la cabeza hirviéndole de ideas novedosas, de posibles nuevos caminos para la investigación del caso Bárbara Molina, pero siendo al mismo tiempo el receptor de todas las miradas mientras ofrece sonrisas a diestro y siniestro. Como el día de la boda del hijo, aunque entonces no era el protagonista absoluto e iba acompañado de su mujer.

No se ha quitado la americana porque está delante de todos y quedaría fatal que él, el invitado de honor, perdiera la compostura y la elegancia que lo caracteriza justamente el último día, a tan sólo unas horas de jubilarse. Dejará su recuerdo formal para la posteridad en las fotografías que probablemente todo el mundo perderá u olvidará dentro de la cámara pero que se harán para quedar bien. A los demás les importa un pimiento la formalidad. Muchos jóvenes han ido a cenar con jersey y vaqueros tal como van al trabajo cada día, probablemente ni se hayan cambiado. Sureda sí. Sureda se ha vestido de futuro subinspector y lleva una americana clara encima de una camiseta negra y unos Levi's. *Look* Joan Manuel Serrat. Moderno, informal, elegante, como diría su mujer. Se ha presentado a la cena con la matemática. No es gran cosa. Rubia, bajita y pizpireta, algo delgada para su gusto, pero al momento se ha hecho un hueco entre tantos desconocidos y ahora habla con unos y otros como si fueran íntimos. Una chica lista, que se ha sentado a su lado, le ha dirigido una sonrisa dulce y pícara y le ha preguntado por su mujer. Él la ha excusado diciendo que no se encontraba bien. Hace un rato que le han servido un plato con un puré de color naranja adornado con un ramillete de hojas verdes. Es como un bodegón holandés de mal gusto. Al ver el color de bombona de butano ha sentido deseos de pedir que le cambien el plato. Pero la matemática coge una pizca con la punta de la cuchara, como cometiendo una travesura, y con aires de *gourmet* la paladea, exageradamente, y comenta que es una sopa de calabaza deliciosa. ¡Sopa de calabaza! ¿A quién se le ocurre? ¿Quién ha elegido el menú? Tiene ganas de estrangular a Dolores Estrada. Seguro que lo ha hecho para fastidiarlo porque le negó el permiso de dos días para asistir al concierto de Bruce Springsteen en Madrid ese verano. De repente siente una vibración en el bolsillo y se mete la mano, incómodo, pensando que será su mujer y que deberá darle explicaciones.

214

Le molesta sobre todo no tener el espacio de intimidad suficiente para mantener una conversación privada. La matemática lo escuchará todo y después, por la noche, arrimada a Sureda, le cuchicheará que el antiguo subinspector es un mentiroso porque no tenía a la mujer enferma. Pero resulta que es Eva Carrasco. Y de golpe sabe que es una llamada importante.

Se levanta y sale discretamente de la sala. Y hace bien porque Eva Carrasco, en efecto, tiene algo muy importante que decirle. Tan importante que se tiene que apoyar en la pared para no caerse. Bárbara me ha llamado esta mañana, pero se ha cortado de inmediato y ha sido imposible conectar otra vez. ¿Cómo dices?, exclama patidifuso sin poder creérselo. ¿A qué hora? Sobre las dos. ¿Y por qué no me lo has dicho antes? Le he llamado el primero, pero había salido a comer y entonces he ido a casa de Bárbara, y Pepe Molina me ha asegurado que lo solucionaba él y que no hablara con nadie, que él se ocuparía de todo y que se pondría en contacto con la policía, le ametralla la chica nerviosísima sin dejarle meter baza y continuando sin apenas tomar aire. Pero hace un rato he descubierto que el móvil desde el que me ha llamado Bárbara es el de Pepe Molina. Lozano la interrumpe alterado, a punto de sufrir un infarto. ¿El móvil de Pepe Molina? ¿Estás segura? Segurísima, responde con un hilo de voz Eva. ¿Y quién más lo sabe?, pregunta rápidamente Lozano asumiendo el giro radical del caso en cuestión de segundos como sólo saben hacer los buenos policías y los buenos guionistas. Nuria Solís, ahora estoy en su casa, he descubierto la coincidencia del número

215

cuando ella me lo ha dictado. ¿Dónde está ahora Pepe Molina?, inquiere el subinspector Lozano pensando a la velocidad de la luz. No lo sé. Está ilocalizable. Su móvil no contesta y ha dicho que no lo esperaran esta noche, que tenía trabajo. Nuria no sabe nada más.

El subinspector Lozano se enjuga el sudor que, ahora sí, le chorrea por el cuello y le empapa la camisa. Y mientras se aparta para que los camareros pasen hacia el reservado cargados de platos y más platos de sopa de calabaza, toma una decisión. Quédate con Nuria Solís en casa. Si vuelve Pepe Molina, que no sepa que estás enterada de nada, búscate una excusa cualquiera, disimula, baja a la calle y llámame inmediatamente, ¿me has entendido? Sí, lo he entendido, responde la chica. Eva, dice Lozano con voz grave, la vida de Bárbara está en juego. Oye cómo Eva, desde el otro lado, suspira. Es la segunda vez que me dicen eso hoy. Pepe Molina me ha dicho lo mismo antes. Razón de más, responde Lozano intranquilo. Y ahora, sobre todo, controla a Nuria Solís, que no haga ninguna tontería. ¿Cómo está?, agrega con curiosidad. Muy serena. Más serena de lo que imaginaba, créame. Lozano respira aliviado. Estamos en contacto.

El subinspector Lozano no tiene tiempo de sentir estupor. Llevaba un papelito arrugado en el bolsillo, preparado para el discurso, donde tenía cuatro frases protocolarias apuntadas que ya no pronunciará. Entra en la sala y saluda a todos. Su irrupción brusca provoca el silencio. Mejor, así no tendrá que pedir la palabra, ya la tiene. Señoras, señores, vuestra presencia esta noche aquí es un gran honor, pero lamento comunicaros que

216

causas de fuerza mayor me obligan a salir. Calla unos instantes porque es imposible hacerse oír por encima del revuelo que se ha levantado en la sala. Espera unos segundos y continúa. Se trata de un caso muy delicado que requiere una intervención inmediata. El futuro subinspector Sureda se levanta inmediatamente. Ya me ocupo yo, decide impetuoso, pero un NO, taxativo, pronunciado con autoridad, le hace callar. Si te necesito, ya te llamaré, remata Lozano yendo hacia la puerta. De pronto, al meter de nuevo la mano en el bolsillo, encuentra el papel, se lo repiensa y se lo da a Sureda. Ten, si quieres hacerme un favor, lee este discurso de despedida en mi nombre. Se lo entrega en mano y delante de todos sin dejarle alternativa. Rechazarlo sería hacerle un feo. Lozano levanta el brazo y saluda con la cabeza alta. Ha sido un placer trabajar con vosotros todos estos años, chicos. Y se va.

Una vez traspasa la puerta, se quita la americana, la corbata y se desabrocha el siguiente botón de la camisa. Ya está, se dice, ya está hecho. Ya la he cagado. Estoy con la mierda al cuello. Todo el mundo ha sido testigo de que he tomado una decisión temeraria, que he actuado con avaricia y que no he pasado el relevo a mi sucesor. Pero no lo ha hecho sólo por su orgullo, que sí, que lo tiene y que no le avergüenza reconocer que en los últimos días ha salido escaldado. No, no ha sido por eso. Él conoce perfectamente a los actores de esta tragedia y hay que trabajar deprisa, con discreción y precisión. Es el único capaz de hacerlo, aunque la ley ya no se lo permita. Pasará por encima de la ley. La vida de una chica es más importante. Es un caso demasiado delicado para poner a trabajar todo un operativo. Es una cuestión de vida o muerte y tiene sólo dos horas para atar cabos. Luego ya haré el traspaso, se dice mientras sale a la calle, detiene un taxi y le da la dirección de la comisaría.

Resguardado en la oscuridad y el anonimato del taxi se tranquiliza. Afortunadamente, el taxista es un hombre discreto que no lleva la radio puesta y no despotrica contra el Ayuntamiento de Barcelona. Esto le permite pensar. Y piensa, piensa a trompicones. Le viene a la cabeza *Crimen y castigo*. Maldito Molina. El mismo juego de Raskolnikov. Riéndose de él en sus propias barbas durante cuatro años. Lo tenía mucho más cerca de lo que creía, pero en ningún momento barajó la posibilidad de que Bárbara estuviera viva. Lozano se enfada consigo mismo por no haber investigado a fondo a qué hora abandonó Bilbao Pepe Molina. Eran momentos de confusión y tenían muchas líneas de investigación abiertas. Sí, pidió confirmación y la Ertzaintza respondió con vaguedades. Lo habían visto pululando por la zona e interrogando a la gente de los bares, pero nadie pudo constatar exactamente la hora de su marcha. Si Pepe Molina salió de Bilbao hacia las dos de la madrugada y no a las siete como declaró, el resto es fácil. Todo encaja. Mientras Eva hablaba ha visualizado perfectamente la secuencia de los hechos y ha entendido rápidamente que sólo tenía que modificar el nombre de Jesús López por el de Pepe Molina para que todo resultara diáfano y comprensible. Abusos. Y empieza a recolocar las piezas del rompecabezas imposible. Recuerda la forma en que Pepe Molina le

218

hablaba a Nuria Solís, sus miradas fulminantes, su desautorización constante, su autoritarismo intransigente. Y ella, con los ojos bajos y huidizos, las pastillas y la culpa permanente. Recuerda los golpes en el cuerpo de la niña, las heridas escondidas de los brazos. Sí. Todo está claro, tan claro que estremece por no haber sido capaz de verlo antes. Y eso que sus pesquisas del perro tal vez lo habrían llevado a esa misma conclusión. Le ha faltado tiempo, se lamenta.

Pepe Molina los ha embaucado. Jugó su rol admirablemente. Lo tenía muy fácil. Había dos sospechosos que él mismo se encargó de servir en bandeja de plata y para sí mismo se reservó el papel de padre justiciero. Fue una actuación magnífica: luz y taquígrafos, el padre desolado, el padre indignado, el padre exaltado. Encabezó manifestaciones, pidió endurecer las leyes, participó en programas televisivos, agredió a Jesús. ¡Qué farsante! ¡Qué hijo de la gran puta! No le fue necesario modificar su perfil de padre autoritario puesto que era lo suficientemente verosímil. Tiene clarísimo dónde ha tenido a Bárbara durante todo este tiempo. Pero ¿cómo lo ha llevado en secreto?, se pregunta. Recuerda sus preocupaciones por la logística familiar, sus viajes arriba y abajo. Palidece. ¡Y su revólver! Ha recordado que tiene permiso de armas por su trabajo de representante de joyería y que él mismo le retiró la licencia de su Smith & Wesson 38 a causa del incidente con Jesús. Sin embargo, pasado un tiempo prudencial y en vistas de su buena conducta, se lo devolvió. Toma nota mentalmente del dato y lo añade a todo lo demás. Debe ir con pies de plomo porque es un hombre peli-

219

groso, extremadamente peligroso. Un tipo inteligente y sádico. Y recuerda su control férreo sobre su mujer, su arrogancia y por encima de todo su estrategia para alimentar con leña constantemente la cortina de humo que levantó él mismo. Durante cuatro años estuvieron tras la pista de dos sospechosos falsos porque él insistió hasta la obcecación. Pedía una y otra vez que no les retiraran la vigilancia, que estuvieran encima. Posiblemente creía, y creía bien, que si bajaban la guardia quizás contemplarían otras líneas de investigación. ¡Qué idiota!, exclama de nuevo Lozano. La excusa del perro era buena y la masía del Montseny un lugar lo suficientemente aislado y solitario para que los vecinos no se olieran nada. Una casa de Nuria Solís donde la familia veraneaba antes de que Bárbara desapareciera. Ya están delante de la comisaría.

Paga con un billete grande, le dice al taxista reservado que se quede con la propina y sube resoplando hacia el despacho. La masía, la masía, se va repitiendo. Acudió una vez con una unidad y les ordenó que registrasen discretamente el jardín para ver si habían removido la tierra recientemente. Le dio vergüenza que los Molina lo supieran, pero era su obligación. ¿Quizás Bárbara ya estaba allí? ¿Dónde? La casa parecía ciertamente abandonada. Se veía polvorienta. Pepe Molina se la enseñó muy atento. Las camas no tenían sábanas y la cocina estaba casi vacía. El perro. Mientras sube los escalones de cuatro en cuatro recuerda que Nuria Solís le dijo más tarde que lo sentía por la pobre bestia, que la tenían en la bodega del sótano para que no se escapara. ¡Una bodega habilitada!

220

Una vez en el despacho abre la carpeta y busca ansioso la dirección de la casa, se la apunta, coge su Glock 9 mm, la carga y pide a Mariona Estévez, que está de guardia, que le encuentre un coche inmediatamente y que programe el GPS con la dirección de la masía. Pide también que prepare una unidad operativa de tres agentes para que salgan hacia Sant Celoni y, una vez allí, queden a la espera de sus órdenes.

Lozano mira el reloj. Las 22:18. No tiene mucho tiempo. Pero Bárbara, desgraciadamente, tiene menos aún.

23. Bárbara Molina

Eva se aficionó durante un tiempo a leer tragedias de Shakespeare y me dijo que en el tercer acto los protagonistas caen por una pendiente fatal que los precipita hacia su destrucción. No hay salidas. Se las cierran ellos mismos. Como yo. En estos momentos estoy en el último acto de la tragedia de mi vida. Lo tengo clarísimo. Todo ha pasado tal y como me imaginaba. Él ha entrado con el revólver en la mano, a la vista, como el día que mató a Bruc delante de mí, y me ha apuntado. Durante todo el rato, mientras me hablaba con acritud, no ha dejado de apuntarme. Y yo le oía, lúcida como nunca, mientras contemplaba el agujero negro del cañón imaginando que era el objetivo de una cámara fotográfica, familiarizándome con él, haciéndome amiga. Eva me ha dicho que la has llamado, me ha soltado de buenas a primeras, como una bofetada seca, para que quede patente que lo controla todo, que no se le escapa nada, que fuera de estas cuatro paredes también soy su prisionera y que el mundo que yo creo libre es una telaraña que encarcela mis gritos. Me he resguardado en el silencio. Sin esperanzas, he perdido el miedo. Es una gran ventaja. ¿No dices nada?, ha gritado al ver mi actitud provocativa. He continuado callando. Que se salga de sus casillas, que lo pase mal él. ¿Te das cuenta de que lo has estropeado todo otra vez? Vuelvo a callar y lo miro retadora con el mentón adelantado, preparada para recibir un golpe que me juro que no me hará saltar las lágrimas. ¡Ya no podremos huir juntos!, deja caer con un punto de desesperación sincero. ¿Qué dice ahora?, pienso. ¿De qué huida habla?

Detecta que me ha picado la curiosidad y continúa. Yo tenía planes para nosotros dos. Me desconcierta. No quiero oírlo, me he dicho, pero escucho. ¿Qué planes?, he pensado rabiosa por no poder desconectar. Lo había preparado todo, había ido ahorrando dinero, sabía que podría fabricar una identidad falsa, había estado haciendo contactos en Brasil. ¿Sabes que Brasil es uno de los países donde el FBI no tiene acceso? En Brasil hay playas, hay mar y podríamos haber sido felices. Me ha descolocado, ¿él y yo en Brasil? ¿Viviendo en libertad? ¿Frente al mar? ¿Me estaba gastando una broma? Esperaba que el subinspector Lozano se jubilara para empezar a organizarlo todo, ha continuado. Su sucesor olvidaría el caso, lo dejaría correr y no le importaría que yo me estrellara con el coche. No le daría ninguna importancia. Me he asustado de verdad. Así pues está hablando en serio. Él baja la voz, confidencialmente, como si alguien nos pudiera oír. Es lo que pensaba hacer, simular un accidente mortal con un montón de cenizas y borrar completamente mi pista. Cerrar el caso y tener un mañana limpio por delante. Tú y yo.

He abierto mucho los ojos y quizás lo ha malinterpretado. Tal vez ha creído que yo estaba ilusionada con su idea de futuro. El cinismo de no esperar nada más que la muerte me ha permitido verlo con otros ojos y de repente lo he visto cretino e iluso. Pero él ha dado por supuesto que me había conmovido y ha continuado desahogándose. Hoy el subinspector Lozano ha telefoneado para anunciarme que mañana mismo se jubila. Yo lo había calculado mal, creía que aún faltaba un año. Y quizás por eso me he agobiado y no he sido lo suficientemente cuidadoso y después de la llamada he salido a toda prisa para empezar a hacer los preparativos, pero... Aquí se detiene y se pone repentinamente serio, grave. He olvidado el móvil, dice mientras lo mira con tristeza, sobre la mesa, bien a la vista, donde yo lo he dejado. Ahora ya no tenemos ningún futuro, concluye. Es eso, me digo con satisfacción. Le he estropeado sus planes y está más desesperado que yo. Y siento una alegría infantil al saber que él tampoco tiene ninguna esperanza. Pero en lugar de dispararme ha dejado caer los brazos y se ha sentado en la cama, a mi lado, abatido. ¿Por qué me has hecho esto, niña?, exclama hablando solo, puesto que yo no le contesto ni le pienso contestar. Ahora nos encontrarán. A ti y a mí. Quizás dentro de unas horas, quizás dentro de unos días, quizás dentro de un mes. Pero nos encontrarán tarde o temprano. Yo sigo callando y mirándole descaradamente. ¡No me mires así!, grita. ¿Te das cuenta de lo que estoy diciendo? ¿Te das cuenta de que estoy hablando de que tenemos que morir? Sonrío. Me ha hecho gracia. Me amenaza de muerte desde hace cuatro años, he

224

visto la muerte millones de veces y ahora él, que por primera vez la tiene cerca, se asusta. He tenido ganas de reír, pero no he podido porque me ha golpeado con la culata del revólver. ¡Basta!, ha gritado, ¡Basta!

Y comprendo que lo que le saca de sus casillas es que yo esté serena. Preferiría que le suplicase, que me arrastrase, que le pidiese por favor que me salvara la vida. No pienso darle este gusto. Primero te voy a matar a ti, dice lentamente con una fanfarronería impostada que a mí me la suda. Y después me mataré yo, recalca. Yo no parpadeo y por fin abro la boca. ¿A qué esperas, entonces?, le increpo. Me cuesta hablar porque me ha golpeado el hueso de la mandíbula y me sangra la encía. Pero ya estoy acostumbrada al dolor, a la sangre, a la muerte. Él no. Se pone de pie con las manos temblorosas y me apunta. Todo lo he hecho porque te quiero demasiado. Eres mala, Bárbara, muy mala. Lo sé, mátame de una vez, lo reto, cada vez más gallito, cada vez más insensible, cada vez más cerca del final del tercer acto. Ya estoy harta, pienso, de darle vueltas. Ya no me asusta la muerte, la he asumido desde hace demasiado tiempo y tengo ganas de acabar de una vez por todas y dejar de sufrir. Sólo me angustia la desagradable logística de dejar de existir. El trámite, como quien diría. Sin embargo él no dispara. En lugar de disparar, camina arriba y abajo, como hacía yo hace unas horas, como un león enjaulado. Le llevo ventaja, yo ya he recorrido ese camino antes que él y he llegado al final. Ahora estoy en paz. ¿Y tu madre?, exclama de repente. ¿No has pensado en tu madre cuando has cogido el teléfono y has llamado a Eva? ¿No tienes corazón? ¿No tienes sentimientos? ¿Qué hará tu madre cuando nos encuentren muertos, a ambos, y caiga la vergüenza sobre ella? No has pensado en eso, claro, tú no piensas en las consecuencias de tus actos, tú actúas y basta. ¡Eres egoísta, rastrera y mezquina y lo serás siempre!

Lo he oído como un ruido de fondo, como quien escucha el sonsonete de una radionovela barata. Ahora está tramando alguna salida impensada. Lo conozco. Está muerto de miedo e intenta hacer trampa. Se está haciendo trampa a sí mismo. Y yo tengo ganas de reír al verle tan amedrentado. ¿Y si no nos encuentran nunca?, pienso de pronto mientras él habla y gesticula como un actor de una tragedia de Shakespeare. Porque quizás a nadie se le ocurra bajar hasta el sótano de la bodega de la casa. En ese caso, la posteridad estará equivocada. La fecha de mi muerte, la que salió en las esquelas de los diarios no será la verdadera y nadie llorará por mí porque ya me había muerto antes. Eso sí que me fastidia. Toda persona tiene derecho a ser llorado en unos funerales. ¡Anda, mátame ya!, grito poniéndome en pie teatralmente y ofreciéndole el pecho. Estoy harta de tanta comedia, de tanta dilación. Pero él baja el revólver visiblemente nervioso. No es tan fácil, Bárbara, no te puedo matar porque te quiero. Mentiroso, me digo, mentiroso, más que mentiroso. A lo mejor si colaboras todavía nos queda una salida. Cobarde, más que cobarde, me digo. Todavía hay una salida. Aprieto los puños y me callo. No me puede hacer esto ahora, no tiene derecho a hacerme sufrir más. Estaba preparada.

226

Quiero terminar con toda esta mierda. ¡Ahora! Quiero morir de una vez. Bárbara, escucha. Me tapo los oídos porque no lo quiero oír. Bárbara, óyeme bien lo que te diré, bonita.

Y rompo a llorar de pura desesperación.

24. Eva Carrasco

Eva no ha reconocido hace unos minutos a la mujer que ha salido del despacho con unas llaves en la mano, vestida con un pantalón de lana beis y una camisa granate. No ha reconocido su forma de caminar ni sus gestos precisos al marcar un número de teléfono y esperar con la cabeza erguida y con una cierta impaciencia que alguien respondiera al otro lado. Era Nuria Solís, pero tampoco ha identificado su tono de voz al hablar a través del cable. Elisabeth, te necesito. Coge el coche y ven inmediatamente. Dejo a los gemelos en casa de Lourdes, la vecina del segundo, con una muda de ropa. Cuando llegues te los llevas a Bilbao contigo. Quiero que estén lejos durante unos días. Ya te explicaré. Y sin esperar siquiera a que Elisabeth saliera de su estupor, ya había colgado el teléfono y se había ido directa a la habitación de los chicos. Ha salido unos minutos después con los gemelos y una bolsa de deportes en bandolera y ha desaparecido unos momentos del piso. Al cabo de un rato ha vuelto y ha hecho otra llamada. Esta vez más ambigua, más escueta. Buenas noches, soy Nuria Solís, de la planta de ginecología. Avisa por favor de que no vendré a trabajar. Ninguna excusa. Una vez ha colgado, ha inspirado profundamente, se ha puesto un chaquetón marrón tres cuartos, se ha colgado el bolso al hombro, tras comprobar que estuvieran las llaves que había metido unos minutos antes, y le ha dicho: Acompáñame. Eva se ha quedado boquiabierta. Esa mujer no puede ser Nuria Solís, ha pensado inmediatamente. No puede ser la misma mujer que esta mañana le ha abierto la puerta con los ojos bajos y la voz quebrada. Ahora parece más alta, más fuerte, incluso más joven. Lo siento, pero no nos podemos marchar, se ha disculpado rápidamente. El subinspector Lozano me ha ordenado que esperáramos aquí sin hacer nada. La nueva Nuria Solís la ha mirado una sola vez. Como quieras, si no me quieres acompañar pediré un taxi. Y se ha largado sin esperarla, del mismo modo que tampoco ha esperado la respuesta de su hermana ni de la telefonista del Hospital Clínico que la ha atendido.

Eva sospecha que Nuria Solís ha modificado su fisiología. Ya no es una mujer de carne y hueso. Es una muerta viviente, una zombi que ha resurgido de sus cenizas, un ser hecho de la materia de los dioses, insensible al dolor, a la empatía, a los obstáculos. Una especie de fantasma. Traga saliva. Y los fantasmas, concluye, no pueden ser detenidos porque traspasan las paredes y llegan hasta donde quieren. En ese caso, ha preferido ponerse de su parte y la ha seguido como un perrillo. Tienes carné de conducir y coche, ¿verdad? Sí, ha respondido Eva en seguida. Pues necesito que me lleves adonde yo te diré. Ya te iré indicando.

Eva lleva conduciendo cerca de una hora y no se ha equivocado ni una sola vez. Nuria Solís le ha ido dando todas las órdenes precisas sin dudar ni un instante. A la derecha. Gira. En el próximo semáforo hacia la izquierda. Han abandonado la autopista de Gerona en la salida de Sant Celoni y se han adentrado por caminos rurales que ella se conoce como la palma de la mano. Eva no ha preguntado, pero sabe que están yendo a la masía. Allí era donde Bárbara veraneaba los meses de agosto y donde la había invitado más de una vez. Una masía del siglo diecinueve en medio de la montaña, rodeada de una era, de un huerto que ya nadie cultiva y de unos campos abandonados con cuatro almendros dispersos y algún olivo centenario. Traga saliva. Debe de ser ahí donde Bárbara ha estado encerrada todo este tiempo, se le ocurre. Vamos a la masía, ¿verdad? Nuria Solís habla como una autómata, sin mirarla. He estado comprobando los peajes de las autopistas y casi cada día desde hace años Pepe ha hecho este itinerario, dice sin ninguna emoción. Eva acelera y tiene remordimientos porque debería haberse puesto en contacto con el subinspector Lozano hace rato. Deberíamos llamar a la policía, propone en voz alta, pero Nuria Solís no hace ni caso. ¿Sabes por qué no puedo conducir?, suelta sin que venga a cuento. Él me dijo que tomando las pastillas sería peligroso y que no valía la pena que me renovara el carné. No quería que pisara la casa nunca más, suelta con rabia súbita. Te traerá demasiados recuerdos, me sugirió el primer verano. Lo mejor sería venderla, comentó sin excesivo énfasis. Él lo decía sabiendo que yo no vendería nunca esta casa.

Eva calla y escucha, y deja que Nuria Solís se desahogue. Lo necesita. Ha permanecido demasiados años en silencio y una vez ha empezado a hablar es como una botella de gaseosa agitada, efervescente, rabiosa. Las pastillas me las hizo tomar Él, naturalmente, me acompañó al psiquiatra y le facilitó un diagnóstico detallado de mi caso. Según Pepe, estaba sufriendo una depresión profunda y tenía tendencias paranoicas. Le di poco trabajo al psiquiatra. Él ya le llevó los deberes hechos. Toma aire, inspira profundamente porque le duele. Y yo me lo creía. Suspira. Todo este tiempo le creí a pies juntillas. Y le estaba agradecida porque se hacía cargo de la compra, del perro, de la casa, de mi salud... y del caso de Bárbara. Y cuando dice Bárbara, Eva nota cómo sube el tono, para decir su nombre bien fuerte y convencerse de que está viva. ¿Sabes cuál es la diferencia entre un adicto y un enfermo?, pregunta con un deje diferente en la voz. Espera unos instantes que se hacen eternos. Que el adicto puede dejar de serlo en cualquier momento y el enfermo no. Es tan sencillo como chasquear los dedos y decir basta. Se acabó. Así dejé de fumar. Tras haberlo dicho ya fui una ex fumadora. Y entonces, todo lo que estaba desenfocado se reenfocó, todo lo que creía que hacía porque yo quería era consecuencia de la adicción. Nuria Solís interrumpe su discurso para guiarla. Gira a la derecha, aquí, muy bien, sigue recto. Eva la observa tensar las piernas y arquear la espalda, como un gato antes de saltar.

Ya están cerca de la casa y Nuria baja la ventanilla del coche aunque haga frío y deja que el viento le enrede el pelo. Permanece callada largo rato hasta que vuelve a romper el silencio. Las revelaciones son instantáneas, continúa desgranando lentamente, como si hablara sola. No necesitan interpretaciones. De repente ves todo lo que estaba oscuro, lo que quedaba a la sombra, desdibujado, escondido, exactamente como un carrete de fotografía antiguo que nada significa hasta que las imágenes se revelan. Y allí donde parecía haber manchas, aparecen las imágenes, donde siempre han estado, pero fuera del alcance del ojo humano. De un momento a otro todo se hace nítido, claro, reconocible. Eva asiente con la mirada pegada al parabrisas y las manos al volante, sin distraerse de la conducción. Le da la razón. Ella, finalmente, también ha podido iluminar los rincones oscuros del verano de Bárbara y se siente trastornada por la revelación. Ella admiraba a Pepe Molina, le tenía por un hombre respetable, serio. Si Bárbara se lo hubiera contado, no la habría creído, se habría puesto del lado de su padre y hubiera considerado a su amiga una mentirosa compulsiva. Ya se encargó Pepe Molina de metérsela en el bolsillo. Pobre Bárbara, le decía. Mi hija no está bien de la cabeza, inventa historias. Tengo miedo de su salud mental. Se preparó para una posible confesión de la amiga y ahora entiende que Bárbara rompió con ella por ese motivo. Intenta imaginar cuántas chicas como Bárbara deben de vivir en la oscuridad y condenadas al silencio. Nuria Solís levanta una mano. ¡Para, para aquí! Y Eva frena. Aún no han llegado a la verja, están a unos doscientos metros del caserón transitando por un camino flanqueado por encinas, pero es más prudente aparcar el coche lejos para que él no las oiga. Nuria Solís abre la puerta del coche y sale. Ya puedes regresar, le ordena. Eva abre los ojos pasmada. No te dejaré que vayas sola. Nuria Solís no la espera y empieza a caminar en dirección a la masía, resoluta. Eva resopla a su espalda tras cerrar el coche y apagar las luces. ¡Espera! ¡Espera! Nuria le señala la verja de hierro de la entrada, una filigrana modernista cuyo motivo es un dragón enroscado en el cuerpo de una joven. Trágica premonición. La forjó el bisabuelo, era herrero, dice con orgullo, empujándola con cuidado para evitar que chirríe. Ahora camina con más precaución. Tiene conciencia de la situación y al entrar en el recinto de la era las recibe la silueta del Passat recortada por la luna menguante. Hasta ahora, todo había sido una suposición, pero en aquellos instantes se ha convertido en una certeza, se dice Eva tanto o más impactada que Nuria Solís.

Él está dentro de la masía, y también Bárbara. Y le tiemblan las piernas al pensar en ella. Nuria camina torpemente hasta el turismo aparcado y se apoya en él desfallecida. Eva la ayuda y le coge la mano, helada, gélida, ambas impactadas por la revelación súbita. Y allí, apoyada sobre el coche y mirando hacia el cielo estrellado, Nuria murmura en un susurro: Hace demasiados años que había desoído mis intuiciones. Antes me dejaba guiar por ellas. Intuía que la felicidad se conseguía persiguiendo los sueños. Soñaba con ser médico, soñaba con viajar, soñaba con tener una hija libre, independiente, orgullosa de ser una mujer. Suspira. He vivido lo suficiente para confirmar que mis intuiciones eran acertadas. Y de repente se pone en pie y se pasa una mano por los ojos, quizás húmedos, y se muerde los labios. Aunque él las mató, añade finalmente. Entonces, abre el bolso, saca las llaves y se gira hacia Eva. Vete, le ordena. Eva duda, pero la obedece. Ha percibido una determinación que no se detendrá ante ningún argumento. No puede hacer otra cosa que pedir ayuda.

Nuria Solís no se mueve ni un milímetro hasta que Eva no ha dado media vuelta y se ha dirigido hacia su coche. Eva la ve cómo camina muy poco a poco y con mano firme mete la llave en la cerradura, suavemente, sin miedo. Al fin y al cabo es su casa. La casa que heredó de sus padres, donde pasó los veranos de su infancia, la casa que conoce como la palma de su mano y donde no ha querido volver nunca porque le recuerda demasiado a Bárbara.

Eva saca el móvil y marca el número de Salvador Lozano.

25. Salvador Lozano

Salvador Lozano se ha mosqueado con el GPS y ha dejado de obedecerlo al darse cuenta de que lo enviaba de regreso a la autopista. Quizás el satélite no localizaba correctamente la masía. Maldito GPS de las narices, piensa. ¡Cállate ya!, abuchea a la voz metálica cuando repite por infinitésima vez que en la próxima posibilidad cambie de sentido y regrese a la autopista. ¡No pienso volver a la autopista, idiota!, replica. Y entonces hace lo que debería haber hecho antes: apaga el aparato y detiene el coche. Se siente ridículo por haberse peleado con un trasto. Y está cabreado sobre todo porque ha sido culpa suya. Recuerda que la otra vez les pasó exactamente lo mismo y estuvieron dando vueltas y más vueltas hasta que se decidió a telefonear a Pepe Molina y él les indicó la forma de llegar. A lo mejor por eso los esperaba con todo el escenario a punto y la sonrisa en los labios, el desgraciado. Está seguro de que la masía está cerca, pero esta vez lo sorprenderá. Tiene el pálpito de que está llegando, pero se pregunta ¿es posible orientarse de noche y sin mapa?

Y como respuesta a su pregunta desesperada, suena el móvil y no se puede creer lo que le explica Eva

Carrasco. ¿Cómo dices? ¿Que Nuria Solís ha entrado sola en la masía y él está dentro? Es una locura. Agarra el volante para pensar con claridad. ¿Y tú dónde estás ahora? Al oír que en el camino a unos doscientos metros de la casa tiene una idea brillante. Enciende las luces del coche, le ordena mientras se apea del vehículo y al cabo de un rato de entornar los ojos y otear en la lontananza los ve. Muy bien, grita al móvil. Da media vuelta y ve retrocediendo por el camino. Dentro de muy poco nos cruzaremos. No cuelgues. Si te pierdo, te aviso y te detienes. ¿De acuerdo? El subinspector Lozano, mientras avanza con dificultades entre los bosques del Montseny, tiene la precaución de mirar el reloj y comprobar que todavía está en el ejercicio de sus funciones. Son las 23:24 horas. ¡Jódete, Sureda!, cuchichea.

26. Nuria Solís

Nuria Solís camina a tientas. No ha querido encender la luz y de hecho no la necesita porque se conoce la casa de memoria. De niña corría arriba y abajo a oscuras, haciendo ruido y tropezando con las sillas, sin preocuparse de si se veía o no. Entonces no había luz eléctrica, pero a ella no le daba miedo la oscuridad. A Elisabeth sí, y cuando estaban las dos solas y el sol se ponía en el horizonte sin ningún adulto cerca para encender las luces de gas, se aferraba a sus piernas y lloriqueaba. Nuria Solís ahuyenta los recuerdos moviendo la cabeza, como si fueran moscas insolentes que la rodearan con su zumbido molesto. Pero no lo hace con suficiente contundencia. Por sorpresa, le retornan olores antiguos. El olor del pan con vino y azúcar, de la sopa de tomillo, del melocotón acabado de recoger, de las almendras tostadas, del moho. Los olores le ofuscan los sentidos y la devuelven al pasado, un pasado en el que ella tenía padres y cobijo, caminaba con pasos seguros y encontraba siempre una mano firme donde agarrarse. Fue después cuando empezó a tambalearse, a dudar de su instinto y a temer a la oscuridad. No ha sido de ayuda a sus hijos. Bárbara también buscó la mano que ella siempre tuvo al alcance y no la encontró. En lugar de una madre valiente le tocó en suerte una madre miedosa que escondía la mano y la dejaba huérfana. Otra vez la culpa, la maldita culpa que vuelve machacona. Se lamenta. Y sabe que culpándose no irá a ninguna parte. Que la culpa paraliza y justifica, que es el antídoto de la acción. Intenta pensar en positivo y expulsar la culpa que Él le ha administrado día a día, como un veneno lento y mortal diluido en sus palabras. No estoy enferma, no soy culpable, se dice. Quiere pensar en otra cosa y busca desesperadamente algo a lo que aferrarse, e imagina cómo será Bárbara cuatro años después, si habrá crecido, si le habrá cambiado la fisonomía, si conservará el hoyuelo de la mejilla al reír, si todavía tendrá las pestañas dulces y sombreadas que enmarcaban sus ojos color miel, grandes, abiertos, que miraban al mundo con curiosidad. Se le encoge el alma al pensar que sólo habrán visto cuatro paredes desnudas y una misma fisonomía. Se encontrará con una mujer y quizás no esté preparada, reflexiona con un punto de inquietud. Pero es Bárbara, sigue siendo Bárbara, su niña. Siente cómo le crujen las vértebras sólo de pensar en el sufrimiento de estos cuatro años. No puede concebirlo y sabe que nunca, por mucho que se esfuerce, podrá compartir ni un ápice del dolor de Bárbara.

Se acerca hasta la tubería que hay detrás de la despensa de la cocina. Sabe que baja al sótano y comunica con la bodega. Se detiene y escucha arrimando la mejilla contra el plomo, que es frío y le hiela el corazón. Sí. Oye voces que suben de la bodega. Se quita los zapatos y los deja sobre el mármol porque teme que quizás el leve sonido que hace al andar los alerte. Ella lo oía todo de niña. Distinguía los pasos del abuelo, la cojera de la abuela, las ruedas del carro y el taconeo alegre de la madre. Se esfuerza por escuchar hasta que las piernas se le doblan al distinguir un timbre de voz aflautado, de niña o de mujer. ¿Bárbara tal vez? Seguro. No puede ser nadie más, se dice. Y la sangre fluye más rápido porque es cierto que está viva. No lo ha soñado, su niña todavía está viva y sólo las separan unos pocos metros. Al oír su voz los brazos querrían abarcarla toda entera y abrazarla muy fuerte.

Poco a poco los ojos se han ido habituando a la pequeña rendija de luz que entra por la ventana. Ya percibe las siluetas de los armarios, los objetos dejados sobre el mármol, las seis sillas de roble, la mesa con el mantel de cuadros. Pasa la mano por encima y acaricia los objetos conocidos. El porrón de cristal, las cucharas de madera. Objetos que han compartido la soledad con su niña pero que nunca podrán devolverle esos cuatro años sin ella. Los años robados, largos, interminables, una vida dentro de otra vida, sin tocarla, sin verla, sin escuchar su voz ni oler su piel. Piensa en la mentira, en el engaño, en el fingimiento y la hipocresía que ha vivido bajo su mismo techo durante todo ese tiempo. Y la rabia la inunda. ¿Por qué ni ella ni nadie se ha dado cuenta de la máscara tras la que se ocultaba Pepe? ¿Cuántos hombres como él esconden vidas reprobables tras máscaras respetables? Abre el cajón de los cubiertos y, a tientas, agarra un cuchillo. Es un cuchillo de cocina grande, de los de cortar el pollo. Ya le va bien.

Bárbara está viva, se repite, todavía está viva. Y con este sentimiento abre la portezuela de la cocina y comienza a bajar las escaleras.

27. Bárbara Molina

En unos minutos mi vida ha dado la vuelta como un calcetín. Estoy haciendo la maleta. Saldré de aquí y volveré a ser una persona normal. Caminaré por las calles de una ciudad desconocida, sentiré el aire y el sol en la piel, escucharé el bullicio de voces, veré otras caras, pero nadie me señalará con el dedo porque no me conocerán. Me detendré ante los escaparates de las tiendas, curiosearé la ropa de temporada y elegiré la más chillona, la más llamativa, la que tenga los colores más estridentes. Me probaré vestidos, pantalones, camisetas y zapatos, muchos zapatos, para caminar, para correr, para saltar. Y cuando esté cansada de dar vueltas por mi nueva ciudad, me sentaré en la terraza de un café, en una mesa redonda salpicada de luz, sombreada por unos plátanos, y pediré un helado de vainilla y chocolate. Lo lameré poco a poco, con glotonería, cerrando los ojos y sintiendo cómo se deshace suavemente en la boca, y por descuido me ensuciaré la nariz, como me pasa siempre. Y reiré. Volveré a reír, a entrar en un cine, a toquetear libros en una librería, a coger un autobús, a leer los titulares de un diario, a prepararme un huevo frito en una cocina con una ventana abierta que dé a una calle llena de coches y alboroto mientras escucho música a todo trapo. Me tragaré todas las series nuevas de televisión que se han estrenado durante estos años. Me subiré a lo alto de una montaña para ver salir el sol y esperaré hasta que el horizonte se tiña de rojo, como un espectáculo pirotécnico. Por las noches contaré las estrellas que cuelgan del cielo y me bañaré a la luz de la luna.

Y veré el mar.

Me ha prometido que iremos a una ciudad a orillas del mar, con playa. No me importa qué mar sea. El Mediterráneo, el Atlántico, el Pacífico. Viviré frente al mar y el azul intenso del agua será lo primero que veré cuando me levante. Me compraré un biquini nuevo, el más bonito, y al amanecer, cuando aún haga fresco, me pondré una camiseta e iré a la playa para rebozarme de arena blanca, hasta que el sol caliente. Entonces, me levantaré de un salto, correré hacia el agua y me zambulliré en el momento que la ola se acerque, con la cresta de espuma blanca en lo alto, y desapareceré bajo las aguas con los ojos bien abiertos, rodeada de peces, de algas, de mar. Los domingos alquilaremos un velero y navegaremos mar adentro. Yo llevaré el timón. Y nadie me conocerá. Él me ha prometido que no me hará daño nunca más y que no me pondrá la mano encima. Me ha jurado que tendré mi habitación, mi llave, mi libertad. Ha llorado y me ha pedido perdón, está arrepentido de verdad y me quiere. No desea hacerme daño. Quiere que yo viva y sea feliz y por eso le he dado una oportunidad. La última.

Si me descubren, lo traicionaré y lo condenaré a

prisión. Y a mí me esperará un infierno de *flashes* y vergüenza. El reproche permanente de unos y otros y el vacío de la familia. Ya no tengo ningún lugar en este mundo que dejé atrás el día que decidí huir. Por eso buscaremos otro a nuestra medida. Quiero vivir. Ahora sí, quiero vivir una nueva vida, con una nueva identidad. Quiero otra oportunidad y Él me la dará porque me lo debe, porque ha cambiado, porque es otro, porque yo he sido tan valiente que me he atrevido a plantarle cara y a enseñarle que con violencia no se soluciona nada. Y lo ha entendido. Algo se ha roto en su interior y ha llorado como un niño, arrodillado a mis pies, con la cabeza en mi regazo empapándome los zapatos de lágrimas y rogándome que lo perdonara, que no lo abandonara ahora, cuando más me necesita. Soy la única persona que realmente le importa en el mundo y la única que puede ayudarlo a salir del pozo. Eres fuerte, Bárbara, muy fuerte, y te necesito.

Esta vez no me equivoco. Por primera vez sé que puedo encontrar una rendija de luz y subirme a ella para que me lleve lejos de aquí y me saque de la oscuridad. Siento que renace la ilusión que creía perdida. Intuyo que por fin encontraré la paz. Y tomo precipitadamente la poca ropa que tengo y la meto arrugada, de cualquier manera, en una bolsa, recojo el bote de champú, el cepillo de dientes, el peine, la plancha del pelo, la espuma, el pintauñas y la crema hidratante y lo guardo todo dentro mientras pienso soy libre, me voy muy lejos. Y soy tan feliz que no me lo puedo creer.

De pronto la puerta se abre y entra una mujer. Tiene el pelo blanco y está muy delgada, tiene surcos alre-

243

dedor de los ojos y lleva un cuchillo de cocina en las manos. Se me queda mirando como si hubiera visto un fantasma y me dice Bárbara. Me quedo inmóvil, sin reaccionar. Es mamá, pero no la reconozco. Ha cambiado tanto, tiene las mejillas hundidas y la piel amarillenta, pero a pesar de todo parece más alta, más fuerte, y en ese momento sonríe y vuelve a decir Bárbara. Y sus piernas intentan correr hacia mí mientras sus brazos se abren queriendo abrazarme. Pero no puede. Él está en medio de ambas y ni ella ni yo podemos tocarnos. Veo los brazos de mamá con los que he soñado tantas noches y deseo correr hacia ella y hundir la cabeza en su pecho para escuchar el tictac de su corazón y sentir la caricia de sus manos retirándome el cabello de la frente, cálidas, tranquilizadoras, amorosas. Pero no me puedo mover porque las piernas no me responden. La miro horrorizada y busco en sus ojos el desprecio, la vergüenza, el rechazo. No lo encuentro. Me debato unos segundos que se me hacen eternos entre el deseo y el miedo. Hasta que la voz de Él rompe el silencio. ¿Qué haces aquí? ¡Tira ese cuchillo! Sin embargo mamá no lo escucha, ni siquiera lo mira cuando habla. Sólo me mira a mí y su voz pasa por encima de la voz de él, más firme que la voz de él. Bárbara, ven, dice. Pero la voz de Él se superpone, con un sonsonete irónico. Ya lo has estropeado todo. Ahora ya lo teníamos resuelto, ¿verdad, Bárbara? Y no sé a cuál de los dos escuchar. Él insiste. Ahora, por culpa de tu madre, no me queda alternativa.

Y se me cae el mundo encima. Ya no podremos ir a ninguna playa, ya no veré el mar ni subiré a lo alto

244

de una montaña para ver salir el sol. Vamos, Bárbara, insiste ella, con una firmeza insospechada. ¿Dónde quiere que vayamos?, me pregunto. No tengo ningún sitio adonde ir. Lloro en silencio. No quiere ir contigo. ¿No lo ves?, responde él con acritud. Y me pide que lo ratifique. Dile que estás aquí porque tú lo has querido. Se me revuelve el estómago. No sé qué hacer. Todo se tambalea. No sé dónde sujetarme y mamá está lejos, es débil, y no me puede dar la mano para salir de este agujero. ¡Vete!, le digo a regañadientes, como he hecho siempre. No me iré, Bárbara, me responde con dureza. Entonces me enfado. ¿Dónde ha estado todo este tiempo? ¿Por qué no me sacó hace cuatro años? ¿Por qué ha dejado que Él me golpeara, me violara, me matara de hambre, me humillara? Y me sale la rabia que ya tenía antes, cuando la echaba de mi lado al darme cuenta de que miraba hacia otra parte y no quería ver lo que estaba pasando. ¡Déjame!, grito. ¡Tú no puedes entenderlo! ¡Vete de una vez!

Pero mamá no se encoge, no baja los ojos ni da media vuelta al ver que la rechazo. En lugar de ello, da un paso adelante y me ofrece la mano. Sí te entiendo, te entiendo muy bien. ¡Claro que te entiendo! Ven conmigo. Y lo dice en serio, tan en serio que he dado un paso inconsciente hacia ella, pero he topado con él y sus palabras despectivas, emponzoñadas. Eres patética, Nuria. Das pena. ¿Te has mirado en el espejo? Eres una vieja fracasada, una mala madre, tus hijos no te respetan. ¿No oyes acaso a tu hija pidiéndote que te vayas? No nos montes el numerito, dame el cuchillo, vuelve arriba y espérame, ordena, seguro de sí mismo, de su autoridad, de su ascendente sobre la pobre mamá, que siempre le ha hecho caso en todo. Dejo de respirar unos instantes, angustiada, al reconocer las palabras que he oído millones de veces. Palabras que anulan, que hieren, que nos han marcado a ella y a mí y nos han ido envenenando. Mamá siempre se ha rendido, ha aceptado su derrota y ha perdido la batalla antes de empezar. La he visto callar demasiadas veces, bajar la vista, llorar dulcemente y doblarse a los insultos. No, mamá no podrá con Él, es débil. ¡Aparta, Pepe, sal del medio de una vez!, grita entonces mamá subiendo el tono de voz y dando un paso adelante, sin escucharlo, sin dejarse intimidar, con el cuchillo levantado y amenazador. Noto cómo él tiembla tan desconcertado como yo. ¿Estás loca? ¿Me amenazas? ¡No me toques! ¿Qué piensas hacer? ¿Clavarme el cuchillo quizás? Mamá no lo escucha y me ofrece la mano izquierda por encima de él. Indiferente a él. Vencedora absoluta de este duelo que he presenciado tantas y tantas veces. Vamos, Bárbara, dice con serenidad. Y yo, instintivamente, tomo su mano y pienso que ya está, que ya se ha acabado todo, que he elegido.

Sin embargo, él reacciona con violencia y siento un tirón muy fuerte cuando me agarra con las dos manos y me lanza contra la pared, de un empujón. Siento cómo mi cuerpo se chafa, cruje y cae. Cierro los ojos mientras el grito de mamá resuena en la oscuridad. Golpes, otra vez golpes, me quiere reventar y aplastar como a una rata, noto sus botas golpeándome las costillas, el vientre, los muslos. Intento protegerme con las manos como puedo, hasta que una patada más fuerte

246

que las otras me hunde el pecho y me desgarra la carne como un cuchillo. Y oigo también el grito de mamá abalanzándose sobre él y gritándole que me deje. Y el grito de dolor de papá, el grito de alguien malherido, e imagino que están peleando y sonrío porque mamá me defiende. No estoy sola, me digo, hay alguien que lucha por mí, que no quiere que me hagan daño. De repente, otra vez el silencio. No me gusta el silencio. Ya no me pega más, ya no oigo ruidos, pero me encuentro muy débil, y el pecho me duele mucho. La cabeza se me nubla, me cuesta respirar e imagino que quizás, por fin me estoy muriendo. ¿Y mamá? ¿Dónde está mamá?, me pregunto. Entonces noto una mano que me sujeta con fuerza y me calienta el corazón. Hago un esfuerzo y al abrir los ojos veo a mamá agachada a mi lado y noto sus labios besándome la cara, empapándola de lágrimas. Bárbara, Bárbara, no tengas miedo, bonita, ya se ha acabado todo. Y esta vez sí, la creo a pies juntillas porque sé que es ella quien ha cambiado y quien ha ganado la partida.

Poco antes de perder el sentido, sin embargo, veo una sombra que se levanta del suelo, detrás de mamá, y me acuerdo del revólver que él había dejado encima de la cama. Quiero avisar a mamá, intento advertirla, hago esfuerzos para mover los labios. Es inútil. Ya no puedo hablar.

28. Salvador Lozano

Salvador Lozano ha oído el primer disparo al cruzar la puerta que baja a la bodega. He llegado tarde, se reprocha fatalista mientras maldice al GPS y saca el arma reglamentaria. Baja los escalones de cuatro en cuatro con peligro de caer rodando, pero a pesar de la estrechez de la escalera y sus cien kilos consigue mantener un equilibrio precario y llegar justo cuando suena el segundo disparo. El silencio es sobrecogedor y le hace temer que la víctima del tiroteo esté muerta. ¿Bárbara? ¿Nuria Solís? Se estremece ante el espectáculo dantesco que aparece ante él al empujar de una patada la puerta de la bodega habilitada como zulo. Se hace cargo de un vistazo de la situación. De pie, tambaleándose junto a una mesa de estudio arrimada a la pared, se apoya Pepe Molina con el revólver en la mano derecha mientras con la mano izquierda pugna por arrancarse un cuchillo de cocina que lleva clavado en el pecho. En el suelo, protegiendo con su cuerpo el de su hija muerta, yace Nuria Solís bañada en sangre, tiroteada. ¡Alto!, grita Salvador Lozano con las piernas separadas y su pistola fuertemente agarrada con ambas manos, sabiendo que Molina no se detendrá a pesar

248

de su advertencia. Y dispara simultáneamente hacia él antes de que tenga tiempo de apretar el gatillo de nuevo.

Buena puntería, piensa cuando Pepe Molina recibe el impacto de su bala y lanza un grito de dolor volviéndose hacia él, herido de muerte o malherido. Pero no se fija en la dirección de la mano de Pepe Molina que, antes de caer, consigue dirigir el cañón del revólver hacia él y disparar, esta vez sí, la última bala.

Salvador Lozano siente un dolor punzante en el estómago, se lleva la mano al vientre y se da cuenta que la camisa amarilla está manchada de sangre. La sangre sale a borbotones y empapa el suelo. Se tapona la hemorragia como puede, camina dando tumbos hacia Pepe Molina y con un certero puntapié consigue que salte el arma de su mano. Luego, se inclina con una mueca de dolor y recoge el revólver con cuidado. Molina parece muerto, pero no se fía lo más mínimo. Lozano, hundido, continúa arrastrándose, pensando he llegado tarde, he llegado tarde. Y se agacha junto a la mujer con el brazo ensangrentado. Al acercar los dedos al cuello para buscarle el pulso, Nuria Solís levanta la cabeza hacia él, abre los ojos, lo mira y le sonríe. Bárbara está viva, dice sin quejarse de sus heridas, indiferente al dolor. Lozano respira aliviado y su mano tantea la mejilla de Nuria Solís felicitándola por su valor. Es valiente, ha sido muy valiente y posiblemente haya evitado la tragedia. El cuchillo que llevaba Molina no se ha clavado solo. Salvador Lozano se quita un peso de encima. Ambas están vivas, se repite. Y hace las comprobaciones in situ, aunque empieza a flaquear. Nuria Solís tiene dos heridas de bala en el brazo izquierdo y Bárbara tiene el cuerpo contusionado y quizás una costilla rota que le ha provocado un desmayo. Salvador Lozano arranca un trozo de camisa y ayuda a Nuria a hacerse un torniquete en el brazo. Y la mujer, por segunda vez en un mismo día, vuelve a decir la palabra que nunca oye. Gracias.

Ya tiene bastante. Se siente bien pagado aunque le fastidia no haber podido llegar antes. Por lo menos ha logrado acabar el trabajo. Nota que las piernas no le sostienen más y se deja caer al lado de Nuria Solís y Bárbara, con la mano apretada en su vientre que ahora está roja de sangre. En un instante de lucidez se da cuenta de que es el final. Sí. Es una perforación de estómago mortal. No tiene remedio y se desangrará sin solución. Ha dejado a Eva fuera, para que alertara a la patrulla que está al caer. Todo ha salido bastante bien, se dice, y se alegra. Bárbara está viva, Nuria Solís también y él ha cerrado el caso. Entonces sonríe mientras nota cómo el corazón va perdiendo fuerza y los ojos se le llenan de recuerdos. Y él, mira por dónde, tendrá un buen final, suspira, un final heroico a pesar de que nunca ha sido un héroe. Pensándolo bien, ha salido ganando, porque se ha ahorrado comer la sopa de calabaza asquerosa y no ha tenido que hacer el discursito de compromiso ante treinta bobos borrachos sin ganas de escucharlo. Se habrán acordado de la madre de Sureda, piensa divertido. Ahora respira con dificultad pero ya no sufre. Se va, la vida se va a chorros, pero ya la ha vivido, a fondo, tal como él quería vivirla y, además, se dice para consolarse, tampoco le apetecía jubilarse y así

250

no tendrá que romperse la cabeza buscando un *hobby* estúpido para matar las horas y ver pasar el tiempo. Su mujer no sufrirá viéndolo acurrucarse en un sillón y marchitarse como un viejo. Y los hijos y los nietos estarán orgullosos del abuelo que murió en un acto de servicio. Y lo condecorarán. Pondrán una medalla sobre su ataúd y eso y la paga de viudedad y su expediente impoluto serán el recuerdo que dejará a la familia. ¿Qué más pueden pedir?

Nuria Solís se ha dado cuenta de que está agonizando y se arrodilla a su lado tratando de detener la hemorragia. En seguida vendrá una ambulancia y se pondrá bien, le miente piadosamente. Él no la contradice. Da lo mismo, en el caso de que llegara, él ya la habría palmado. No es tan difícil aceptar que uno se larga de este mundo, piensa. Sobre todo cuando ha hecho los deberes y se ha quitado la espinita de un expediente sin resolver. Le pide a Nuria que le deje ver a Bárbara y Nuria asiente y levanta la cabeza de la joven, llena de golpes, pero serena. Es joven, bonita y está viva, se dice. Ella sí que tiene un futuro por delante y, si es fuerte, conseguirá reponerse y quizás olvidarlo todo. Suspira y observa que le tiemblan las manos y la pierna empieza a convulsionar. ¿Qué hora es?, pregunta de repente a Nuria Solís, porque ya no le responde el brazo y los ojos no pueden ver las agujas del reloj. Faltan cuatro minutos para las doce, le responde Nuria Solís. ¡Bingo!, canta en silencio, mientras se le ensancha el corazón de la emoción. Y todavía tiene aliento para murmurar a Nuria Solís las últimas instrucciones. Sobre todo, cuando se reconstruyan los hechos, les cuenta que yo he entrado en esta bodega antes de las doce. ¿Se acordará? Es muy importante. Nuria Solís lo tranquiliza y le aprieta la mano, y Salvador Lozano piensa que es agradable que una mujer te tome la mano para pasar el trance. Así no se siente tan solo. Prefiere la mano de Nuria Solís que la mano de Sureda, reconoce. Y lo imagina demudado, entrando por la puerta e inaugurando su primer caso con el cadáver de su predecesor. Qué suerte tiene el podrido, ha nacido con estrella. La matemática lista, treinta y un añitos de nada, e iniciará su carrera entrevistado en todos los noticiarios televisivos y cerrando un caso que ha tenido en jaque al país durante cuatro años. Le deja el cargo en bandeja de plata, se lamenta. Y entonces le sobreviene un pequeño acceso de tos, o a lo mejor de risa. Pero la medalla será para su cadáver, se cachondea, aunque se lo coman los gusanos.

¡Jódete, Sureda!, suspira burlón antes de dirigir su último pensamiento hacia su mujer, que lo ha aguantado tantos años y que al final, como siempre, se ha salido con la suya. Ya le decía que la camisa amarilla no era la adecuada para esa noche. Mira por dónde, morirá como Monsieur Molière, de amarillo y en el escenario.

Ya se sabe, las mujeres siempre tienen razón.

AGRADECIMIENTOS

La tarea del escritor es escribir, pero en muchas ocasiones no podría hacerlo sin la ayuda inestimable de otras personas.

Adentrarme en el terreno de las investigaciones policíacas y los abusos sexuales no habría sido posible sin la colaboración del inspector Jordi Doménech, responsable del Área de Investigación-Personas, de la División de Investigación Criminal de los Mossos d'Esquadra; de Pilar Polo, psicóloga especialista en abusos sexuales y responsable de Formación de la Fundación Vicki Bernadet; y del inspector Xavier Hernández de Linares, responsable de la Unidad Territorial de la Policía Científica de los Mossos d'Esquadra. Su dilatada experiencia, sus lúcidas observaciones y sus acertados consejos me permitieron elaborar la novela que hoy tenéis en vuestras manos. Gracias a los tres por su tiempo, su amabilidad y su sabiduría.

Mil gracias a los lectores que tuvieron la paciencia de leer los primeros borradores, criticaron sus fallos, me regalaron ideas brillantes y me animaron a continuar intentándolo. Júlia Prats, Marce Redondo, Marta Carranza y Mireia de Rosselló fueron quienes me ayudaron a perfilar a los personajes, a corregir los errores y a lograr la verosimilitud que perseguía.

Y gracias a Anna Solé, mi agente literaria, por su energía y su fe en el proyecto.

Gracias también, sinceramente, a los miembros del Jurado del Premio EDEBÉ de Literatura Juvenil, que apostaron por esta novela arriesgada.

Y por último, mi agradecimiento a la editora Reina Duarte, que con su impecable profesionalidad y su entusiasmo ha contribuido a mejorar el texto, la traducción y a conseguir una magnífica edición.

Como mínimo un 20% de la población en España ha sufrido abusos sexuales infantiles, a pesar de que en muchos casos no hayan salido nunca a la luz. La sensibilización y la prevención son las únicas herramientas que tenemos para combatir la ignorancia y el miedo y para ayudar a recuperar la memoria de los que la han perdido.

Vicki Bernadet
Presidenta de la Fundación Vicki Bernadet

Existen en España diversas asociaciones y fundaciones que ofrecen asesoramiento y ayuda a las personas afectadas por un caso de abuso sexual infantil:

FUNDACIÓN VICKI BERNADET - BARCELONA
www.fbernadet.org
Tel. 93-318 97 69

ASPASI – MADRID
www.aspasi.org
Tel. 91-311 23 76 / 615 88 33 32

AVASI - BILBAO
www.avasibilbao.org
Tel. 622 21 80 16